ホリエモンのニッポン改造論

この国を立て直すための8つのヒント

堀江貴文

SB新書
659

はじめに――日本再興の鍵はどこにあるのか

生成AI、宇宙開発、自動運転、核融合、量子コンピューティング――。

今、最新技術によって世界が大きく変わろうとしている。

有史以来、人間はさまざまな技術革新を実現させてきた。新しい技術が誕生するたび、人々は最初こそ反発したり疑ったりするものの、やがては利便性を享受するようになり、生活は「それなくしては生きられない」ほどにまで変容してきた。

たとえば今や自動車のない生活なんて考えられないし、インターネットがなくては仕事もプライベートライフも立ち行かなくなる。スマートフォンを紛失して、この世の終わりかのごとく大騒ぎした覚えのある人も少なくないだろう。

今、まさに実用レベルに達している、あるいは達しつつある最新技術にも、間違いなく同じことが起こる。つまり、いくら現時点で訝《いぶか》しく思っている人が多かろうと、社会に実装されれば徐々に利便性を実感する人が増え、あまねく浸透する。「それなくしては生きられない」リストに加わっていく。

どのみちそうなるのなら、今のうちから知っておくに越したことはないだろう。

しかも重要なことに、**最新技術のなかには、長く停滞している日本を再興させるゲームチェンジャーとなりうるものもあるのだ。**本書で取り上げるロケット技術や核融合技術、量子コンピューティングなどである。

実用化されれば莫大な利益を生み、諸外国とのパワーバランスにも影響を及ぼすことがわかっているだけに、研究開発の国際競争は苛烈《かれつ》を極める。

その競争を日本が勝ち抜き、巨大な利権を手にするためにも、日本人全体の技術リテラシーの向上が必要不可欠だ。さまざまな壁が立ちはだかる最新技術の研究開発を推し進めるうえで、マスの理解と支援は欠かせない。国民的サポートを得ているものには、それだけ多くの金や人材が集まるようになる。

日本復興の鍵となる8つのジャンル

1. AIテクノロジー
2. 宇宙産業
3. EV社会
4. 新時代の教育
5. 量子コンピュータ
6. 飲食文化
7. 地方創生
8. 不老不死の技術

さて一方、最新技術とは対極と言えるものにも、実は日本再興の可能性が秘められている。伝統的な技術や文化、豊かな自然環境は、世界が羨む日本の宝だ。

身近なところに当たり前に存在しているからなのか、すでにある宝の尊さ、ビジネスアイデアの金脈に気づいていない日本人も多いようだ。そういうところにも光を当て、宝の持ち腐れを是正したい。

本書で取り上げるのは、日本が活力を取り戻す鍵と私が見ている上の8つのジャンルだ。

最新技術を解説する章もあれば、最新技術とは無縁のものについて語っている章もあるのは、この両方の側面から、ぜひみなさんにも今後の社会や自分の働き方について考え、日本再興の光明を見出していただきたいという意図による。

最新技術は、はたして社会や自分の働き方をどう変えるのか。

新しい時代に、世界で戦っていける日本のポテンシャルはどこにあるか。

これらの点について、一人ひとりが考えを深めるきっかけとなれば幸いである。

堀江貴文

2024年6月

ホリエモンのニッポン改造論――この国を立て直すための8つのヒント◎もくじ

第3章　EV社会で自動車産業は再編される

第4章　テクノロジー時代の教育変革

第 1 章

AIテクノロジーで変革する日本社会

私も多くの仕事をAIに任せている

すでにＡＩの時代は加速的に進んでいる。誰がやっても同じという決まりきった仕事は、生成ＡＩに丸投げしてしまえばいいのである。

その典型的な例が、県知事や地方議員あるいは校長などの行事における挨拶である。ときにユニークな挨拶に遭遇することもあるが、それは例外中の例外。ほとんどは金太郎飴よろしく、当たり障りのない紋切り型の言葉を連ねているだけだ。

だから、人間のように自然な会話ができる生成ＡＩに頼れば、たちどころにいい挨拶文を作ってくれる。膨大なデータの蓄積がある生成ＡＩにとって、杓子定規の原稿作成はもっとも得意な分野なのである。

現に、私は今、テキスト作業をChatGPTにやってもらっている。一度使って以来、やみつきだ。こうしたアウトソーシング可能な作業から、さらに高度な作業まで、生成ＡＩに任せられる仕事は増えていくに違いない。

たとえばスライド作成の仕事である。簡単なスライド資料は無論のこと、官僚たちが作る大量の情報を詰め込んだスライド「パワポ曼荼羅《まんだら》」も、AIに指示すればたちどころに作ってくれるだろう。しかも、よりわかりやすく正確に、である。

すなわち、**大企業のエリート社員が日々行っているような仕事のほとんどすべてが、生成AIで可能になる**のだ。

また、私はロケット事業で、2023年3月にリリースされたGPT-4を使っている。GPT-3の精度をさらに高めたものだ。役所に提出する膨大な書類作成などを、人間よりも速く正確にこなしてくれる。そればかりではない。ロケット打ち上げのために必要な推進剤の流量の計算でも、やはり人間以上の能力を発揮してくれるのである。

2023年、私は『夢を叶える力　あなたの未来を変えるための7つのステップ』というビジネス書を出した。実は同書の制作工程すべてが生成AIによる。すべてとは、「書名」「章立てや見出し作成を含む構成」「原稿作成」「カバーの写真」である。

つまり、私は制作のほとんどに関わらなかったのだが、普通に読んで違和感がない。実際、ほとんどの人は気づかなかったようだ。試しに同書を「Kindle Unlimited（キンドル・アンリミテッド）」に出してみたら、多くの人が読んでくれてレビューもたくさんいただいた。

もちろん、生成ＡＩにゼロからイチを「創作」する能力はない。

しかし、だからこそ、私は本の制作を任せてみようと思った。というのは、私の出す本が売れる秘密が、内容の新しさにあるのか、それとも昔から言ってきたことの繰り返しでも売れるのかを知りたかったのだ。

蓋を開けてみれば、生成ＡＩに書かせた同書はそれなりに読まれた。つまり「昔から言ってきたことが書かれている本でも売れる」ということだ。

それもそのはずで、先進的なことを言っても理解できる人はそう多くない。今まで何度も繰り返し言ってきたことを、ＡＩが書き直したくらいのものが、多くの人にとって読みやすいのだろう。

AIに取って代わられる仕事

私の予想では、**今後、ホワイトカラーの9割は仕事を失う**ことになる。

企画書やプレゼン資料、プレスリリース、議事録などの書類作成、情報収集、原稿作成、営業事務、会計処理、メールのやりとり……こうした知的労働や事務作業など、今まで人間の手作業で行われてきた仕事の多くがＡＩで可能になっているからだ。

つまり、これらの仕事をしている人たちは、お役御免となる可能性が高い。それも徐々にではなく、すぐに、である。日本の全労働者の半数以上がホワイトカラーなのだから、あなたにとっても決して他人事ではない。

かつては応用力に欠け、オリジナルなコンテンツを作ることができなかったはずのＡＩが、生成ＡＩの誕生によって、その能力をも持つようになっている。

すでに生成ＡＩを使っている人にはわかりきっていることだろうが、たとえばChatGPTは、人間に話しかけるように「これをやって」「こういうものをつくって」

と指示すれば、たちどころに指示通りのものを生成してくれる。

その生成結果に満足できなければ、「もう少しこういうふうにして」「こういうものは除外して」「こういうところを補って」と追加で指示をすればいい。

これにより、先に挙げたようなホワイトカラーの仕事は、生成ＡＩが人間よりも速く、しかも正確にやってくれるようになるだろう。

特に精度を要求されるような仕事、これまで多くの知識が必要とされてきた仕事から、人間の領域ではなくなっていく。こうした作業こそ、ＡＩがもっとも得意とするからだ。

さらには、**人を選別したり評価したりする上司の仕事も、今後はAIの役割になっていく**かもしれない。

「人間にしかできない仕事はまだまだあるはずだ」と思う人もいるだろう。

それがないとは言わないが、ＡＩに取って代わられる仕事は、今後、ますます増えていくのは確実だ。いくつか例を挙げる。

まず、司法関係の仕事だ。膨大な法律知識を蓄えることが司法試験に受かる第一歩であるならば、まさにＡＩがもっとも得意とする分野と言える。現に、大学入試、資格試験などで、ChatGPTが好成績を挙げているという。

ひょっとしたら、実際の裁判などもＡＩに任せたほうが、よりよい判決を下すことができるかもしれない。

次に、放送関係の仕事だ。ＡＩに音声を合成する技術を駆使すれば、もうアナウンサーがニュースを読む必要はない。そればかりか、情報番組やバラエティ番組の台本なども、今後はＡＩで事足りるだろう。こういうものは、たいてい予定調和でいい。つまりＡＩに過去の番組を学習させれば、人間が手を動かさずとも、台本やその読み上げデータはいくらでも量産できる。

ならば情報番組やバラエティ番組に出る側はどうか。場を回すＭＣ、当意即妙な受け答えをするコメンテーターやひな壇芸人は、さすがに人間じゃないとできないと思われそうだが、そうでもないかもしれない。

たとえば番組のＭＣはＣＧキャラクターにやらせて、まんべんなく演者にコメントを求める役割を担わせる。

コメンテーターやひな壇芸人も、今まで「ためになる」「おもしろい」とされてきたものをＡＩに学習させれば、必ずしも「人間でなくてはできない仕事」とは言えなくなっていくのではないか。

先に挙げた私の実践例から、本づくりも同様だ。

私は初期の数冊を除いては、本の原稿を編集者およびライターに任せてきた。プロの彼らは、私の主張を正確に理解し、的確に文章化してくれるからだ。しかし、出来栄えが同じであればＡＩでもかまわない。編集者・ライターは不要のものになる可能性は大きいだろう。

書籍の編集者やライターが不要になるなら、通信社の記者も同じである。

彼らの仕事は、つまるところ「情報の収集と要約」だ。これこそＡＩの得意分野である。

よく「複数の新聞や雑誌を読め」と言われるのも、1つの思想に基づいて書かれたものばかり読んでいると、知らずと1つの思想に偏る可能性があるからだ。正確に「事実」だけを報じるならＡＩに書いてもらったほうがいい。

あらゆる仕事がAIに取って代わられる可能性がある

- 原稿作成、記事執筆
- 営業事務
- 会計作業の補助
- 司法にまつわる業務
- 放送・メディア・出版関係の仕事
- 人選に関わる人事
- 上司による部下の評価

AI は「何でも屋さん」として
これからますます活躍する

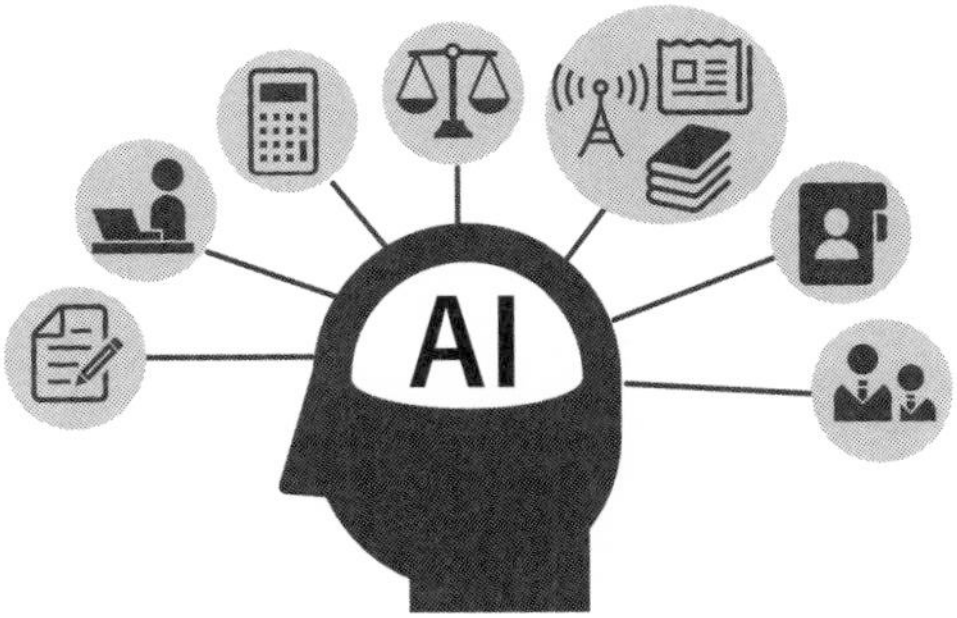

「Copilot for Microsoft 365」の衝撃

ホワイトカラーの9割が仕事を失うのではないかと述べた。この予想が、あながち外れていないと言える背景の1つが、2023年11月にリリースされた「Copilot for Microsoft 365」だ。

これにより、Word、Excel、PowerPoint、Outlookなどのマイクロソフトの全ソフトにGPTが組み合わさり、自然言語で指示を出せるようになった。

たとえばOutlookではメールの返信、Wordでは書類のドラフト作成や文書の要約、PowerPointでは既存のドキュメントを用いたプレゼン資料作成――こうした仕事をAIにやってもらうことが可能になったのだ。

マイクロソフトオフィスを使っている企業は多いだろう。何に使うのかわからない資料や、後で見返すことなどない議事録作成などに追われている人も少なくないと思うが、そんな意味不明な仕事も、これからはAI任せでいい。

ホワイトカラー的な仕事には、ＡＩのほうがずっと優れたパフォーマンスを発揮するものがたくさんある。

ＡＩに任せられる仕事が多くなればなるほど、人間は楽になる。が、こうした仕事「しか」できない人間、こういう仕事「しか」やってこなかった人間は困ったことになる。即、淘汰される、つまりリストラの対象となる可能性があるということだ。

しかも、先ほども述べたように、そういう人事上の判断を下すのも人間の上司ではなく、ＡＩになっていくかもしれない。

日本では「労働基準法」「労働組合法」「労働関係調整法」という「労働三法」が労働者を守っているから、おいそれと退職させることができない。しかし即日クビも珍しくないアメリカだったら、失業者が続出するかもしれない。

さらにいえば、こういう事態はホワイトカラーだけでなく、エンジニアなどの技術者に及ぶ可能性もある。実は**プログラマーこそ、真っ先に淘汰される職業**だと私は思っている。

現にＡＩは、自然言語で「こういうプログラムを作って」と要求すれば、そのとおりコードを書くことができる。バグを見つけて修正するのもお手のものだ。

実際、あるとき試しに「パックマン（ゲーム）のプログラムを書いて」と要望したら、それらしいものを書いてくれた。高度な技術を持たなければ、技術者でも安閑《あんかん》としてはいられないのである。

もっというと、実はコードを書く必要すらなくなってきている。

私がファウンダーとなっているロケット会社で「フォートナイト」（アメリカのEpic Gamesが2017年にリリースしたオンラインゲーム。世界が熱狂するバトルロイヤルゲームとして話題に）上にゲームを作ったときも、建物などをブロックのように組み合わせるだけでよかった。大変なプログラミング作業をすることなく、ほぼノーコードで済んでしまったのだ。

いうなればレゴブロックを組み立てるような感じである。

今の若い人たちは、デジタル版ブロック遊びといわれる「マインクラフト」などのゲームで遊び慣れている。昭和育ちには想像もつかないかもしれないが、おそらく、その感覚でブロックを組み立てるように、簡単にゲームを作れてしまうのだろう。

AI時代の仕事の選び方

一般企業には、まったくといっていいほど意味の見出せない仕事も少なくない。難しい入学試験や入社試験を突破して一流企業に採用されたものの、何の意味があるのかわからない仕事に追われて虚しさを感じている人も多いはずだ。

だったら、そんな仕事は辞めたほうがいい。自分にとって居心地のいい場所を見つけて、人生を楽しんでほしい。かくいう私は、それを実践している一人だ。無意味だと思う仕事はしたくないし、実際、やらない。

それでは、私がしたいと思っている仕事とは何か。それはまず、人に必要とされている仕事である。働いたことで人に感謝されたいのだ。つまり、人に必要とされない仕事をしてまでお金を稼ぎたいと思ったことがないのである。

知人にもこんな人がいる。

北海道の小さな町に移住し、私が発案した地方活性型のベーカリーブランド「小麦

仕事選びの軸も変化した

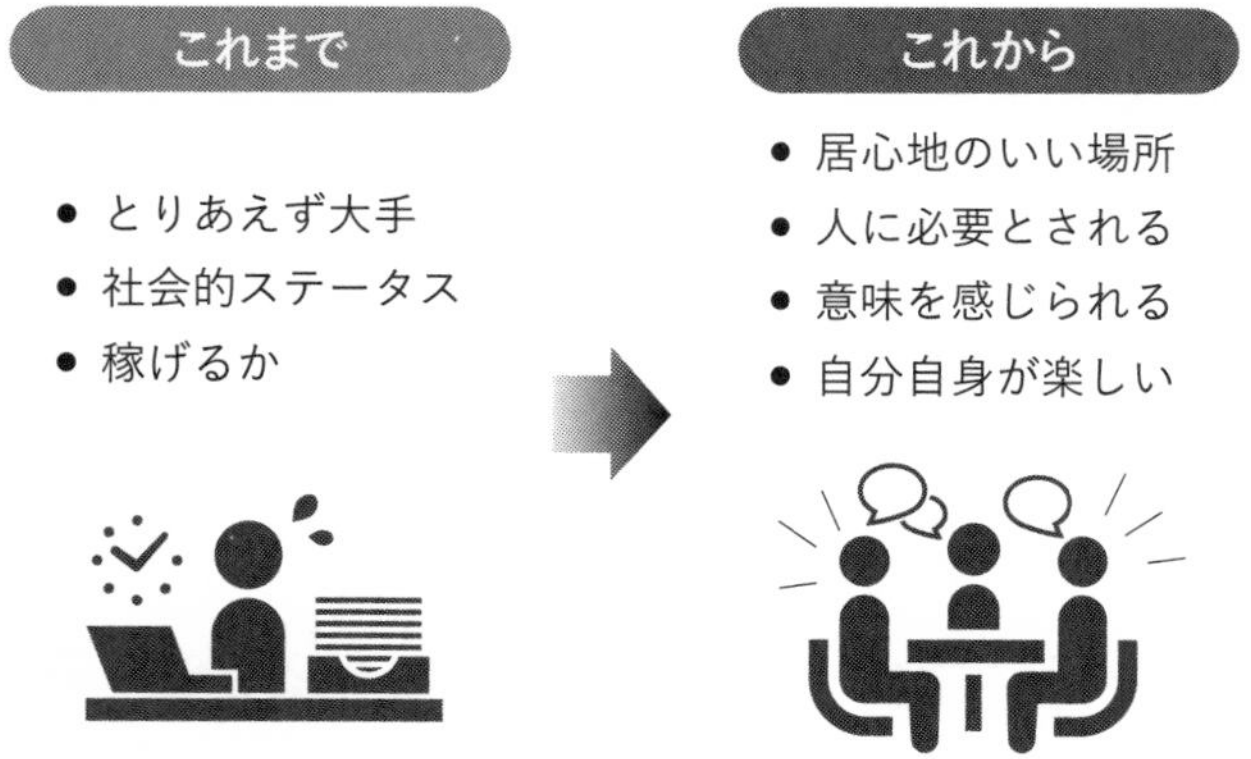
これまで
・とりあえず大手
・社会的ステータス
・稼げるか
これから
・居心地のいい場所
・人に必要とされる
・意味を感じられる
・自分自身が楽しい

の奴隷」を運営しているのだが、家賃はなんと１万２０００円だという。ＬＣＣを使えば東京と北海道は2万円程度で往復できるから、月に何度か行き来しても、東京の賃貸マンションで暮らすより安上がりだ。毎日、満員電車に耐え忍ぶ必要もない。

彼は店舗を全国的に展開し、それぞれの地を楽しみながら生きている。何しろ生活費の多くを占める家賃がたったの１万２０００円なのだから、月に30〜40万円も稼げば十分、豊かな暮らしができる。

私がオンラインサロンを運営しているのも、実は、必要とされる仕事をしたいと思ってのことだ。非常に楽しく働けるし、ミニマムな生活をすることで、生活の仕方や生き方がより自由になった。そんなことを発信していきたいと思っていたのだ。

これからの仕事選びは、このように、「人に必要とされ喜ばれているか」「自分自身が楽しい日々を送れているか」が目安になっていくべきだし、そうなっていくはずである。面倒な仕事、ルーティン的な仕事、誰にでもできる仕事はＡＩがやってくれるからだ。

クリエイティブの世界は「AIを使うアマ」が大多数になる

ＡＩに取って代わられる可能性があるのは、ホワイトカラーやエンジニアだけではない。

ＡＩの画像生成能力も劇的に上がっているのだ。

今後は**広告クリエイティブの世界でも、その商品にふさわしいモデルを探すより、AIで理想的な人物像を生成したほうが合理的**になっていく可能性が高い。ＡＩならパターンを無限に作ることができるので、コストパフォーマンスもいい。Kindleの「写真」カテゴリーの売れ筋ランキング上位に、ＡＩによる写真集が入っていたこともある。

また、２０２３年に開催された「Sony World Photography Awards 2023」のクリエイティブ部門で最優秀賞を受賞した写真が、受賞後、出品者エルダグセン氏の開示により生成ＡＩが作った画像であると判明した。

結局、同氏は賞を辞退したが、その際、「受賞作が生成ＡＩによるものとわかった人、あるいは、せめて疑った人がどれくらい、いるだろうか？」「私は生意気な猿として、主催側にＡＩ画像を受け入れる準備があるかどうかを調べるために応募した。結果、準備はなかった」などと語ったという。意図的に問題提起をしたわけだ。

たしかに、**写真に関しては、今後、プロとアマの境目は限りなく曖昧になっていく**だろう。

学校で教えているような撮影技術がなくても、ＡＩを使えば、素人の下手な写真をプロ級のものに処理することができる。

近年は、iPhoneなどスマホのカメラの性能もデジタルカメラ並みになっている。高価な一眼レフカメラがなくても、スマホで撮った写真をＡＩに加工させれば、プロの写真と比べても遜色《そんしょく》ない出来になるだろう。

私は写真を撮影される機会が非常に多い。しかし正直、スタジオに出向き、大勢のスタッフに囲まれ、長時間にわたり写真を撮られるのは苦痛だ。

そんなときもＡＩの出番だ。昔、撮った写真を、年月の経過などに合わせてＡＩに修正してもらえばいい。そうすればスタジオ代も撮影代もかからない。

普段着で過ごすことが多い私だが、ＡＩによる加工写真なら、ネクタイ着用のスーツ姿だろうとタキシードみたいな正装だろうと、はたまた羽織袴だろうと自在だ。実際に着用するのは御免被りたいが、写真加工ならご自由にどうぞ、という感じである。

写真のみならず、イラストや美術作品などもＡＩが担う時代がやってきそうだ。いまは未熟だが、ものすごい勢いで進化しているＡＩ技術で、プロ顔負けの作品の制作が可能な時代が必ず来る。

私も、画像生成ＡＩのMidjourneyを使って架空のアパレルブランドを作ってみた。

そこで扱っているのは、私が発案したパン屋「小麦の奴隷」をモチーフにしたキャップやパーカーなどだ。デザインも着用モデルも「Midjourney作」だが、いいものができたと満足している。

もしかしたら、**AIは、人間のプロデューサーや監督と同等か、それ以上の作品を作るようになる**かもしれない。人間のモデルもクリエイターも要らなくなる時代が来るという私の予感はかなり高い確率で当たるはずだ。

すでに「Vチューバー」の存在は社会的に認知され、受容もされている。「中の人」が何者なのかは聞かないというのが、Vチューバーまわりの不文律だ。

ならば、ある日突然、広告モデルがAIになったとしても、気づく人はほとんどいないだろう。クールならそれでよしであり、そのモデルが何者かなんて誰も気にしていないし、問わない。生身の人間だろうと画像生成AIが作り出した人物像だろうと関係ないのだ。

ただし、プロの写真家やイラストレーターや画家が、この世から完全に消滅することはないだろう。

デジタル時計が普及しても、アナログ時計の需要はある。オートマチックの車のほうが運転は楽なのに、マニュアル車はこの世から消えていない。

これと似たようなことだ。つまり、**どれほど生成AIで精度の高いクリエーションができるようになっても、「人間の手によるもの」に対する需要はなくならない。**そして、ここでいう「人間の手によるもの」とは、「極上のプロフェッショナルの手によるもの」である。

クリエイティブの世界は、「AIを使うアマチュア」が大多数になるなか、少数の優れたプロフェッショナルが極上の仕事をするという様相になっていくだろう。

近い将来、AIと人間は融合していく

人間が人間たるゆえん、人間と他の生物を分けるものは何なのか。

それは自然言語である。自然言語とは、人が生まれてから周囲の刺激を受けて日常的にしゃべっている言語のことだ。日本人は日本語、韓国人は韓国語、アメリカ人は

英語などの自然言語を使っている。人間は、この自然言語を使って文明を発展させ、文化を築いてきたのだ。

人間は、いかにしてこの自然言語を獲得したのか。「学習する」という自覚がないまま、いつの間にか話せるようになっている。単語を覚え、文法を学び、発音を練習し……という外国語学習のような過程を辿ってはいない。

生まれてからずっと、何だかわからない音声を浴びせられ、それが脳に蓄積し、いつしか、その意味がわかるようになる。たどたどしいながらも言葉を発するようになり、徐々に語彙が増え、話せるようになる。そして、書いたり読んだりもできるようになる。文法は学校で、後付けで学ぶものなのである。

ChatGPTは、そんな人間の自然言語をデータとして大量に学習することで言語を獲得している。

2023年、琉球大学の卒業式で読まれた答辞が話題を呼んだ。見事な日本語で書かれた答辞を読んだ卒業生代表の一人は中国にルーツがある大学院生だったが、彼はものの数分で、その答辞を仕上げたという。もう想像がついていると思うが、彼は

ChatGPTを使って答辞を書いた。

では、ChatGPTが言語を学習するメカニズムとはどんなものか。

私たちが外国語を学ぶように、文法を知って単語を覚え、その2つを結び合わせるというプロセスではない。実は人間が自然言語を獲得していくプロセスと何ら変わらないのだ。

人間の赤ん坊と同じように、自然言語を大量に浴びせられて、その大量のデータをもとに、パターン認識で適当と思われるものを再構成している。

ここで1つの命題が浮かび上がってくる。人間を人間たらしめているものの1つが自然言語であるならば、同じプロセスで言語を獲得するGPTを前にして、私たち人間とは何なのだろうか。

生成AIは人間の叡智《えいち》が生んだものである。だが多くの人は、その人間の叡智の産物に恐れを抱くだろう。将来、人間は、自ら産み落としたAIに侵食されてしまうのではないかという恐れである。

私には、そうした恐れはない。AIと人間は対立するものではなく、融合していくものだと考えているからである。

今のＡＩ技術を見ていると、たしかに人間とＡＩの区別がどんどんつかなくなってきている。これは今後も加速度的に進んでいくだろう。

しかし、それはＡＩによる人間の侵食ではない。ＡＩと人間の融合なのだ。

ＡＩと人間の区別がどんどんつかなくなっているなか、多くは「もう、どうでもいいや」と頭を使うことをやめていくだろう。そういう人たちは映画「マトリックス」のエージェント・スミスみたいになっていくが、ネオみたいな意志の強い一部の人がクリエイティビティを発揮する一瞬があるはずだ。

人間は常にノイズ的な不要な情報を発している。ＡＩ新時代においては、それこそが人間たるゆえんとなっていくのかもしれない。

いわば**「非合理性を兼ね備えた人間と、合理的なＡＩの融合」により、今までには生まれようもなかった、想像を超えた文明が切り開かれていく**はずだ。人間もＡＩもさらなる高みを目指していけばいい。

「AIホリエモン」「AIあなた」という個性の爆誕

まえに述べたように、私は仕事の多くの部分をChatGPTに委ねている。

誰かの新刊書に推薦文を書いてほしいと言われたときもそうだ。

ChatGPTにその本の概要を教えて、「この本の推薦文を書いてほしい」と指示すれば、たちどころに数種の推薦文を書いてくれる。その中から一番自分らしいものを選んで、さらに手直しすれば完成だ。自分で1冊を通して読む必要はない。

取材を受けたときも、ChatGPTを使う。

たとえば「日本経済についてどう思いますか」「環境問題について何かひと言」など、テーマが大きすぎて答えづらい質問を投げかけられたら、そのままChatGPTに流して回答リストを生成してもらう。その中から、私の思いに一致するものを選べばいい。

ただし、この段階での**ChatGPTの最大の欠陥は「個性」がないこと**だ。どこかで聞いたような、どこかで読んだような既視感がつきまとう。生成ＡＩは学習済みの膨大なデータから答えを生成しているわけだから、真新しいものは出てこなくて当然である。

個性がないこと、これこそＡＩが抱える最大かつ克服しがたい難点であり、人間とＡＩの差が出る点である。

そこで問題になるのは、ＡＩの価値と「私」という人間の価値をどう融合させていくか、である。私に代わるものとして生成ＡＩに活躍してもらうためには、まんべんなく膨大なデータを学習している生成ＡＩでは足りない。生成ＡＩに「私になってもらう」、つまり「私」という人間の個性をもつ生成ＡＩを作り上げる必要がある。

そんなことが、はたして可能なのか。

最新のChatGPTでは、個々のアカウントでGPTにデータ学習をさせることができるようになっている。

たとえば、私がこれまで自分の個性を発揮して世に出してきた書籍、メルマガ、インタビュー記事、ＳＮＳ発信を学習させる。そうすれば、まんべんなく学習した膨大なデータからの生成物ではなく、「堀江貴文が書きそうなこと」を生成するChatGPTになる。

すなわち「ＡＩホリエモン」の誕生である。

私という個性が生み出したものを学習させればさせるほど、「ＡＩホリエモン」は、本物の私に近づく。**私という個性は生身の私だけのものではなくなり、それに限りなく近い個性をもったものがもう1つ生まれる**わけだ。

もちろん、これは、あなたにもできることだ。たとえば、あなたが今までに作成してきたメール文面や企画書、商品のリリース文などをChatGPTに学習させれば、あなたらしいメール文面や企画書、リリース文を書いてくれる「ＡＩあなた」が出来上がる。

そうなれば、あなたはChatGPTに指示を与え、その生成物に若干の手直しを加えるだけだ。肝心の中身の大半はChatGPTが作ってくれるから、あなたは、ほとんど手を動かす必要はない。

ある企業の経営者の言動を学習させれば、それはすなわち「ＡＩ社長」だ。

知人の会社経営者は、「コロナで会社に行けなくなったけど、結局、行く必要はないという結論になった。これからはゴルフ三昧で過ごそうかと思う」と言っていた。

なるほど、業績が良好ならば、社長が出勤して指示などを出す必要はない。むしろ社長など会社にいないほうが、社員はのびのびと働けるかもしれない。ならば、折に触れて、その社長が言いそうなことを言う「AI社長」で十分だろう。

現時点では、まだChatGPTの学習能力には限りがある。だが、すでに技術的に可能になっているものを増強するのは、それほど大変ではないはずだ。そのうち飛躍的に伸びるだろう。

初期の段階では、生成AIの使い勝手に精通し、プロンプト・エンジニアリング、つまり生成AIへの指示出しに長けた一部の層だけが生成AIを使っていた。それが、より一般にも普及すると、いよいよ生成AIが民主化する。

これは、インターネットが普及した様とよく似ている。ITに詳しい一部の人間は、ホームページ作成で稼いだ。そこへブログサービスなどが誕生すると、インターネットは民主化され、多くのIT起業家が生まれた。

生成ＡＩも、すでに民主化のフェーズに入っている。かつてＩＴ起業家が多く誕生したように、今後、ＡＩを使った新ビジネスを生み出す「ＡＩ起業家」がたくさん出てくるだろう。

私もまた、50〜１００億円規模のＡＩビジネスならば、いくらでも思いつく。「ＡＩホリエモン」に講演をさせたり、私の本の読み上げサービスをさせたりといったことのほか、特に可能性を感じるのはコミュニケーション分野とＡＩのかけ合わせだ。それについては次項で説明する。

孤独さえもAIが癒してくれる

個人の個性を持った「ＡＩ誰々」を誕生させることが可能になれば、この「誰々」は故人であっても構わない。

たとえば、占い師の故・細木《ほそき》数子《かずこ》さんだ。その辛口のコメントが人気を呼び、冠番組も高視聴率を誇った。この細木数子さんをＡＩで復活させてはどうだろう。

細木さんの「六星占術」のデータと細木さんの話し方を学習させたＡＩに、占いをさせるのだ。かつて細木さんの占いに励まされた人や救われた人は大喜びするだろう。あるいは、大勢の聴衆を前に、歯に衣着せぬ説教をしていた故・瀬戸内寂聴《せとうちじゃくちょう》さんだ。そのユーモラスで知性にあふれ、キッパリとしながらも温かい言葉に元気づけられた人は、無数にいるはずだ。実は私も寂聴さんに励まされたうちの1人である。京都の嵯峨野にある寂庵にも何度か伺った。

従来の対話型ＡＩとは違い、ChatGPTは、学習データをもとに新たにテキストなどを生成することができる。つまり過去に書かれた文章や発言を引用してくるだけでなく、新たな悩みにも応えられるのだ。

どんなに世相が変わっても、「今、細木さんが、寂聴さんが生きていたら、きっとこう言うだろう」というものを生成してくれる。そして答えれば答えるほど、「ＡＩ細木数子」「ＡＩ瀬戸内寂聴」には新しいデータが蓄積され、生成の精度は高まっていく。おふたりとも、とうに故人になっているが、ＡＩ上で蘇《よみがえ》り、生き続けるというわけなのだ。

ところで、ソニーが開発した「空間再現ディスプレイ」はご存じだろうか。カメラがユーザーの左右の目を検出して、肉眼のまま立体映像が見られるというものだ。専用のメガネやヘッドセットは必要ないのに、じつにきれいな映像を見ることができる。大型化すれば等身大の人物像を映し出すことも可能になる。

こうした**映像技術と、故人の思考、声や口調、表情、仕草などを学習した生成AI（テキスト生成AI、音声生成AI、画像生成AI）を組み合わせれば、等身大の立体映像の「AI細木数子」「AI瀬戸内寂聴」と普通に会話することもできる。**

皆さんはご記憶だろうか。2019年の紅白歌合戦に、故・美空《みそら》ひばりさんが出演したことを。AI合成の技術によって、ひばりさんの歌声や話し声を学習させた。多少の違和感があったものの、その歌唱力と声質には、みなが驚かされたことだろう。あれから早4年、生成AIの能力はますます上がり、故人と普通に話ができる日も近い。

有名人だけではない。たとえば「自分をかわいがってくれたおばあちゃんに、もう一度会いたい」のなら、データさえあれば、それも不可能ではないのだ。

もちろん「AI○○」は「本人」ではない。しかし、その人の思考の傾向を学習した生成AIが導き出した「きっと生きていたら、こう言ったはず」というのは、それほど外れてはいないはずだ。

亡くなった人は、亡くなった時点で感じることも考えることもできなくなっているわけだから、死とは、つまり「遺された側の問題」だ。

どんなに世話をしたとしても、大切な人が亡くなったら悔いが残る。「死に目に会えなかった」「孫の顔を見せたかった」「ありがとうって言えばよかった」など、さまざまな後悔を抱えることになる。

そんなとき、故人の個性を学習させた「AIおばあちゃん」「AIおじいちゃん」「AI夫」「AI妻」などがあったら、多少は気持ちが和らぐのではないか。

亡くなった有名人、亡くなった近親者、これに加えてもう1つ、「AI×コミュニケーション」の可能性として挙げておきたいのが「AI話し相手」だ。

今、さまざまな事情で「友だちがいない」「何日も人と話していない」という人が増えている。人との会話が苦手な人もいる。生成AIは、そうした悩みも解決してくれるだろう。

たとえば、一人暮らしのお年寄りや、ひとりぼっちの子どもの話し相手になるChatGPT搭載のワイヤレスイヤホンである。

「AI×コミュニケーション」とは、つまり、**孤独を癒すサービスに生成AIを活用してはどうか**という提案なのである。ちなみに同じ手法を使って、語学学習の補助ツールなども、かなりいいものができそうだ。アイデアは尽きない。

今後市民権を得るのは、このメタバース経済圏

メタバースとは「meta（超）」と「universe（宇宙）」を組み合わせた造語で、3次元の仮想空間のこと。これが、現実世界とは別のもう1つの生活空間として、私たちの生活に浸透する。本章の最後に、その可能性についても話しておきたい。

今後、市民権を得ると思われるメタバースは、「フォートナイト」「ファイナルファンタジー」「あつまれ どうぶつの森（あつ森）」といった3Dビデオゲームだ。ユーザ

ーは「アバター」という自分の分身を操って3次元のメタバースを自由に動き回る。

これらは、すでにゲームの域を超え、プラットフォームとして機能している。

たとえば、コロナ禍の外出自粛生活の中、多くの人たちが友だち同士で「あつまれどうぶつの森」に集まり、チャットで会話を楽しんだという。こうしてオンラインで他のユーザーと交流できるのは、前項で取り上げた「孤独の癒し」にもつながる。「フォートナイト」の人気も抜群だ。全世界で5億人ものユーザーが、このゲームに熱中している。間違いなく、今後、市民権を得るメタバースの筆頭格と言える。「フォートナイト」のプラットフォームとしての機能にも要注目である。

たとえば、アメリカのラッパーであるトラヴィス・スコットさんが、フォートナイトの中でバーチャルライブを開催した。ユーザーたちはこのライブに熱狂し、わずか9分間のライブだったにもかかわらず、売り上げはなんと2000万ドル（今のレートで言えば約30億円）にも上った。

また、「フォートナイト」のクリエイティブモードでは、フォートナイト上でコンテンツを制作し、他のユーザーに公開することができる。そのコンテンツにはロイヤリティが発生する。たとえば、自分がフォートナイト上に作ったゲームを多くのユーザーがプレイしてくれたら、かなりの対価を得ることになる。

ユーザーは儲かるメタバースに流れていく。したがって、フォートナイトのような収益構造は他のメタバースでも導入されていくだろう。

さまざまなメタバースが乱立する中で勝ち残るべく、それぞれ洗練され、多彩な機能をもつようになっていくはずだ。

こうして**3Dビデオゲームの経済戦争は、ますます活発化し、大きな経済圏を作っていく**ことになる。現実世界と同じように、儲かりそうなところには人が集まり、お金がお金を呼び、巨大化していくというわけだ。

第2章

宇宙産業で世界をリードできる

宇宙は全人類共有の資産

世界的に、宇宙に対する関心がますます高まっている。それどころか、宇宙は一般人にとって身近なものにもなりつつあるのだ。こう聞いてもピンと来ない人に、1つ、例を挙げる。

それは「スターリンク」だ。衛星から地上に向けてブロードバンドを提供する宇宙からのインターネットサービスである。

「地球低軌道(Low Earth Orbit＝LEO)」と呼ばれている軌道に、スターリンク衛星がすでに約5000基も投入されている。これにより、衛星通信を用いたブロードバンド通信ができるようになっているのだ。

このスターリンクへの関心が高まったきっかけは、おそらくロシア－ウクライナ戦争だ。ウクライナに侵攻したロシアがウクライナの地上通信網を破壊したとき、イーロン・マスクがCEOを務めるアメリカの企業「スペースX」がスターリンクを無償

スターリンクの仕組み

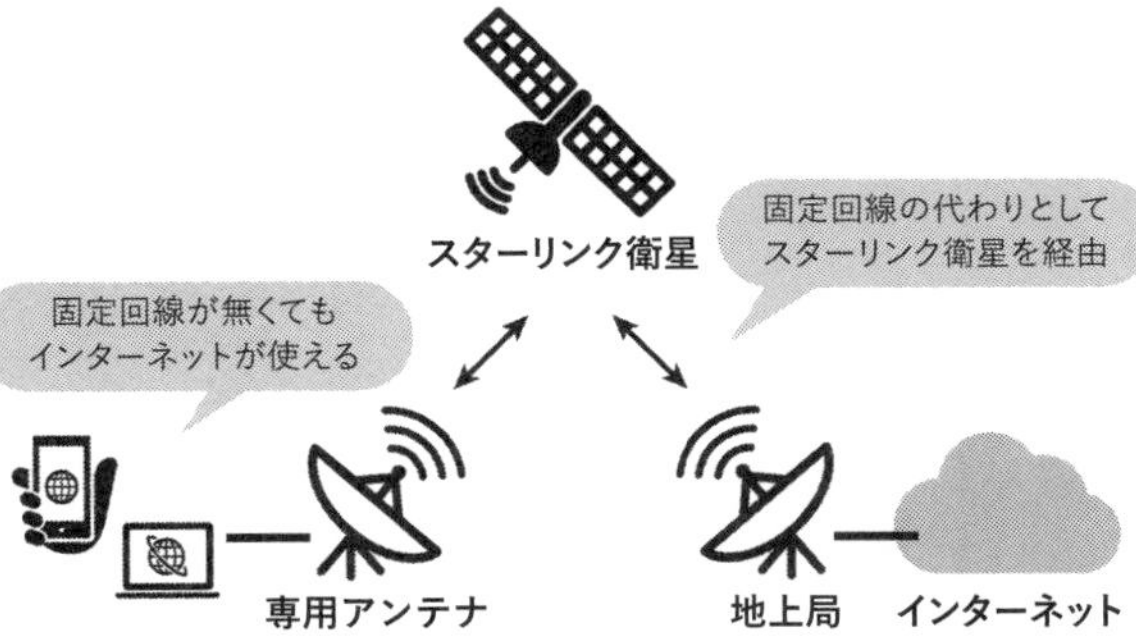

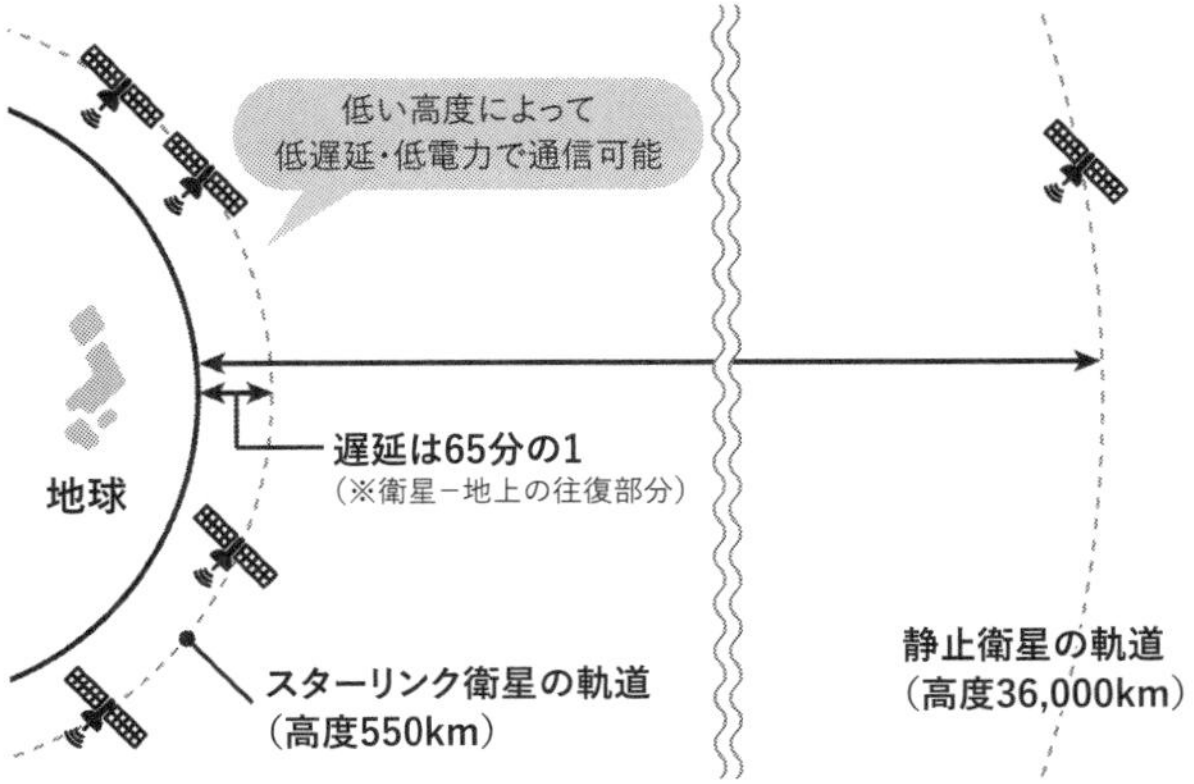

出典：TECHNOLOGYブログ「スターリンク（Starlink）とは何？ ～日本でもついに開始した衛星インターネットアクセス～」（2022年11月2日公開）より

で提供したのである。

そのおかげでウクライナは、直接、衛星ブロードバンド通信ができるようになった。現在は有償になったが、当初はフリーミアムモデルで提供したのだ。**既存の通信網がほとんど全壊という極限状態であっても、ブロードバンド通信ができるという事実は、まさしく大きなイノベーション（社会変革）**だった。

実はウクライナ以前にもスターリンクが恩恵をもたらした事例がある。トンガで火山の噴火が起きたときのことだ。海底ケーブルが破壊されて通信網が壊滅状態になったとき、やはりスターリンクが提供され、通信網が復活するまで衛星通信が使用された。今でも使われているのではないか。

これでもまだ、宇宙は自分たちとは縁遠いと感じるだろうか。では、スターリンクはすでに日本でも提供されていると知ったら、どうだろう。

たとえば、日本の携帯電話キャリアでスターリンクと契約しているＫＤＤＩでは、ＫＤＤＩの基地局のバックホール回線におけるスターリンクの使用が、すでに実用化されている。固定局としては、太平洋に浮かぶ初島《はつしま》だ。観光地でもあるこの小さな島のＫＤＤＩ基地局では、光ファイバーではなくスターリンクを使用していると発表された。

その他、スターリンクは山小屋などでも使われている。山小屋に光ファイバーを引くのは現実的ではない。経済合理性に鑑みれば、極端に人口が少ない地域にはスマホの基地局さえ置けないが、スターリンクならば、こうした制限のある場所でも都会並みの通信環境をもたらすことができるのだ。

現に、フジロックフェスティバルなど山奥で開催される音楽フェスで、スターリンクをバックホール回線とする臨時基地局が設置された事例もある。普段、それほど人がいない場所に固定の基地局を設置するのは難しい。そこにイベントのときだけ何万人という人々が押し寄せるものだから、携帯が繋がりづらくなるという難点があった。それがスターリンクによって解決してしまったわけだ。

いかがだろうか。固定局を設置しづらい離島や過疎地で、すでにスターリンクは実用化されている。遠い宇宙という空間が、こうして、現代人の生活に欠かせない通信というインフラに活用されているとなれば、宇宙が身近になったように感じられるはずだ。

スターリンクの接続の仕組みは、ざっくり次のとおりだ。

先ほども述べたとおり、すでに宇宙空間には約5000基ものスターリンク衛星が投入されている。そのうちどれか1つ、接続しやすい位置にあるスターリンク衛星と自分たちの地上局を、「フェーズド・アレイ・アンテナ」というアンテナについているルーターを使ってWi-Fi接続する。

したがって、自分たちがいるエリアをカバーしている地上局から接続しやすい範囲内にスターリンク衛星があることが接続の基本条件となる。

ウクライナを通信隔絶から救ったことで、広く知られるようになったスターリンクだが、その可能性は大きく広がっている。

たとえば、スターリンク以前に使われていたのは、イリジウム、グローバルスター、インマルサットなどの衛星通信サービスだ。それらのおかげで、飛行機内でもWi-Fiが繋がるようになったが、その通信速度はといえば3Gか3Gよりちょっといい程度だった。遅いし重いし、動画はまず見られなかった。

それがスターリンクだと通信速度は段違いで、動画もサクサク見られる。スターリンクが投入されているLEOは、上空300キロから550キロぐらいの軌道だからだ。これまで使われていた衛星通信サービスが上空1万キロから3万6000キロだったことに比べて、はるかに地上に近いのである。

以上、ウクライナやトンガの話は自分とは無縁の話に思えてしまっても、実は日本に暮らす私たちにとっても、宇宙空間は、すでに身近なものになっていることに気づいていただけたのではないか。

10年、20年のスパンで、**衛星による通信手段が従来の通信手段を凌駕《りょうが》する**と私は予想している。

すなわち、現在は光ファイバーのケーブルを海底などを通じて物理的につないでいるものが、すべてスターリンク衛星のような宇宙空間からの電波接続に取って代わられるということだ。

理由はシンプルで、海底ケーブルは敷設に莫大な費用がかかるうえに、光ファイバーは衛星よりもはるかに通信速度において劣るからだ。

光ファイバーはシリコンでできた筒の中を光が屈折しながら進んでいく。したがって、屈折するたびに速度は落ちる。しかも日本・アメリカ間でいうと5000メートルほどの深さもある太平洋の海底を通っているため、どうしても遠回りになる。

一方、衛星ならばほぼ直線距離で、しかも真空中をレーザーで通信する。原理的には光の速度と同じくらいになる。

物理の知識はなくても、今の話で「光ファイバーと衛星とでは、通信速度が格段に違う」ということくらいは想像がついたのではないか。

通信インフラは、今後、間違いなくすべて宇宙に行く。なぜ、そう私が断言するのかも伝わっていれば幸いだ。私には、スターリンクのような衛星通信ビジネスが5、6社の寡占状態になっている世界が、すでに見えている。

将来的に、宇宙ビジネスは、100兆円規模を上回るくらい大きくなるだろう。今まで宇宙は、JAXAなど限られた人々だけがアクセスできる世界だったが、それが「民主化」したら、宇宙ビジネスは爆発的に成長する。

かつてインターネットも、「商売に使うなんてけしからん」と非難された時期があっ

拡大する宇宙産業の市場規模

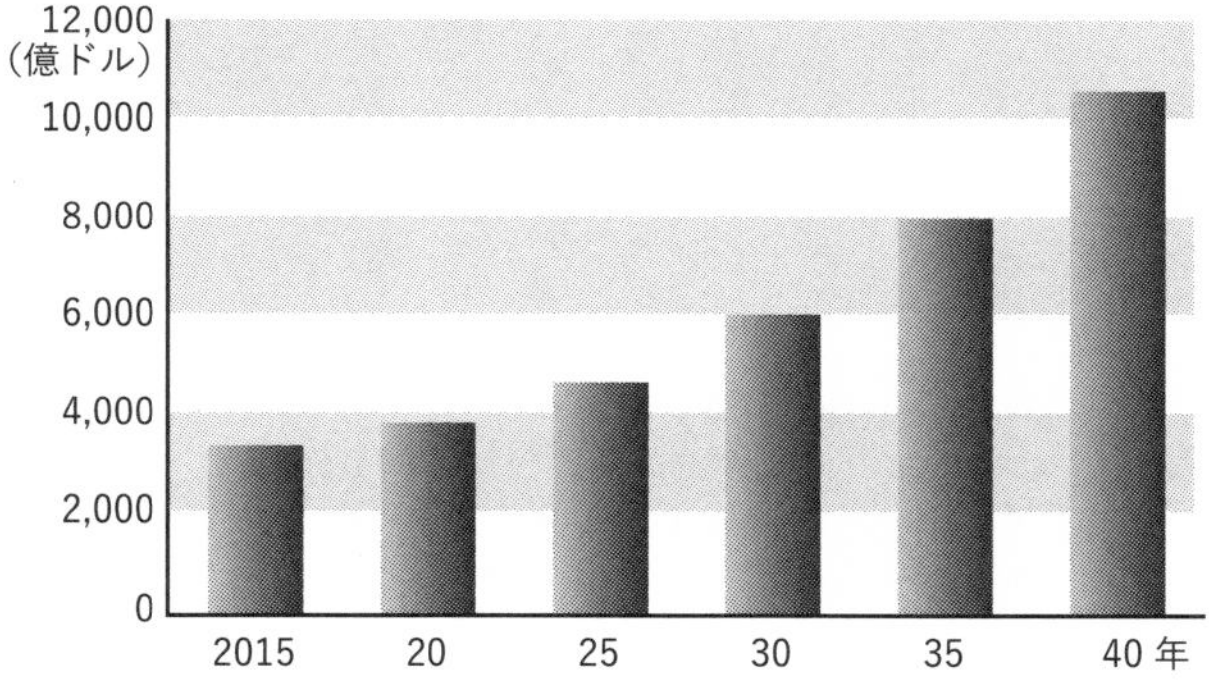

2040年には1兆ドルを超える見通し。20年以降は予測値。
出典：米モルガン・スタンレーの資料をもとにSBクリエイティブ株式会社が作成

た。

しかし、インターネットがすっかり民主化して「みんなのもの」になると、あらゆるビジネスとITが結びつくようになった。

宇宙も同じだ。「みんなのもの」になるべきだし、そうなってこそビジネスにつながる自由な発想も生まれてくる。

「学術以外の用途に使うべきではない」なんて偏狭なことを言っていたら、あっという間に世界に置いていかれる。それこそ避けるべきことなのだ。

これからは「宇宙の民主化」が加速する

私はインターネットの民主化の過程を、つぶさに体験している。それは宇宙の民主化の洞察を深めることにもつながると思うので、ここでは、まずインターネットがいかに民主化してきたかについて話しておきたい。

私は、東京大学在学中の1996年、ホームページ制作などを手がける会社「オン・ザ・エッヂ」を起業した。ちょうど、Linux（オープンソースのコンピュータOS）が出てきた時期だった。

ちなみにLinuxの生みの親、リーナス・トーバルズは私と同じ世代だ。このLinuxのおかげで、Netscapeを作ったマーク・アンドリーセン、イーロン・マスク、Googleのラリー・ペイジとセルゲイ・ブリンなどの起業家が誕生した。

私が起業した動機は、「Linuxって、パソコンでできるじゃん」と思ったことにある。あるフィンランド人が、Linuxのマイクロカーネル（OSの中核部分の設計様式）を

1人で作ったと知ったからだ。それで起業することにした。

後講釈になるが、これがインターネットの民主化が起きた瞬間だった。

つまり、Linux というBSP（ボードサポートパッケージ）やオープンソースのOSのおかげで、誰でもパソコンでサーバーを作れるようになった。しかも、ライセンスフリーで、OSツールもタダで、である。パソコンを組み立てればサーバーを構築できる。

以前はサーバー1台につき100万円は下らなかったから、個人がWebサービスを立ち上げるのは難しかった。それが Linux によって心臓部のソフトウェアがオープンソース化され、みんながタダで使えるようになったことで、従来あった障壁が取り払われた。これこそ民主化である。

このインターネットの民主化により、IT事業に参入する人が増えた。Linux がなければ、Google も Amazon もなかっただろう。

私は、**「民主化できない領域は産業としてスケールしない」**と思っている。

宇宙も同じ。民主化しなければ一大産業にはなりえない。

では宇宙の民主化の要件とは何か。あと何があれば宇宙は民主化するのか。宇宙にとってのLinuxは何なのか。

それは、衛星を地上から宇宙に輸送する「ローンチ・ヴィークル」である。人工衛星を開発しても、宇宙に打ち上げることができなければ技術の実証も利用もできない。現在、宇宙ビジネスのインフラとも言える輸送事業は変化しつつある。

小型ロケットや相乗り打ち上げや再使用ロケットの登場で、少しずつ安価な選択肢が増えてきた。今後、打ち上げ頻度が10倍、100倍になれば、さらにコストは変化していくだろう。まさしく民主化の一歩手前の段階にあると言える。

スペースXがスターリンク衛星約5000基によるコンステレーション（衛星群）の構築を実現させたことは、その証の1つと言える。

従来の通信衛星コンステレーションによるサービスは、高いうえに、通信の遅延や圏外エリアがあった。しかしスターリンク衛星は、全世界でアクセス可能な高速インターネットを提供し、国内でもユーザーが出始めている。

これは、宇宙が初めて「事業」として成功した例と言える。

いってしまえば、スターリンクのビジネスモデル自体は誰でも思いつきそうな事業だが、打ち上げ頻度が少ないために実現できなかった。そのネックが取り払われ、大規模な宇宙コンステレーションの構築が可能となり、初めての宇宙ビジネス成功例が生まれた。

すでに、そういう時代になっているということだ。これからは、ますます宇宙の民主化が進んでいくだろう。

日本が宇宙ビジネスで一歩抜きん出られる理由

戦後、技術立国で世界第2位の経済大国となった日本だが、その競争力が威力を発揮する分野が少なくなり始めて久しい。

近年の巨大トレンドである生成ＡＩやＷｅｂ３の分野においても、アメリカや中国が莫大な投資をして力をつけているのを見ると、すっかり後れをとっていることは否めない。これから巻き返しをはかっても勝てる見込みは薄いだろうし、そもそも、日本が勝負すべきなのは、そこではないと私は考えている。

これから、日本がふたたび世界トップレベルに躍り出る希望のある分野は、宇宙なのだ。

宇宙開発分野なら、何かまったく新しいことにイチから挑戦するということではなく、もとからある日本の優位性をもって世界と戦えるのである。

そう言える理由は主に次の3点だ。

・伝統的な技術力がある
奈良の大仏は、奈良時代の752年4月に開眼供養が執り行われている。建造期間は9年だ。青銅で鋳造されたものに金メッキが施されているが、あれだけの大きさの大仏像が、あれほどの薄さで作られている例はほかに見当たらない。

製鉄技術についても、「たたら製鉄」は日本独自の製法である。鉄から鋼鉄を作り、特殊鋼を作り、工具を作り、部品を作り……つまり、鉄がなくては何も始まらない。その鉄を作る高炉は工業製品のサプライチェーンの基礎と言える。

この話が宇宙産業と何の関係があるのかと思ったかもしれないが、ロケットは、紛うかたなき「工業製品」だ。つまり、優れた製鉄技術がなければ、宇宙開発に不可欠なロケットも作れない。そこに、日本の伝統的な技術力の新たな活路があるというわけだ。

しかも、規制緩和が進んでいるとはいえ、衛星やロケットの開発分野は、そのまま武器製造技術につながりうるため、技術の輸出入は依然としてハードルが高い。したがって「部品の国内調達・国内組立て」が基本である。

その点でも、高い技術力と製造業で鳴らしてきた日本には大きなアドバンテージがある。

日本の技術力は、最先端のものづくりにおいても発揮されている。

たとえば、NICT（情報通信研究機構）は、20年前に実験に成功し、超高速での通信ができるようになった。

さらに日本は、光の技術のトップランナーでもあり、すでに300億年に1秒しか狂わない「光格子時計」の実用化にも成功している。この時計は軽量化にも成功しているから、人工衛星に載せて打ち上げれば超高性能なＧＰＳになる。

さらに、「センサーのおばけ」とも言えるスマートフォンができたことで、イメージセンサーなど超高性能のセンサーを何十億という単位で量産できるようになった。そのセンサーをドローンみたいな空飛ぶ物体に取り付け、それを宇宙空間に持っていけば、ほぼ人工衛星だ。しかも、数十万円程度で作れてしまう。

実は、この発想を世界で初めて実現したのも日本なのだ。２０００年代初頭、「キューブサット」というプロジェクトにおいて、今述べたような「超高性能センサーを空飛ぶ物体に取り付けたようなもの」（専門的な説明は割愛する。イメージだけつかんでもらえれば幸いである）をＪＡＸＡのロケットを使って打ち上げた。

さて、この話を聞いて、何かを思い出した人はいるだろうか。そう、このキューブサットのプロジェクトのコンセプトは、実はスターリンクそのものなのである。

スマートフォンの登場により、かなり安価で超高性能なセンサーを作れるようになった。それは衛星にも使えるのではないかということで、くだんの打ち上げ実験をしたのは、かなり先進的な日本の研究者たちだった。

ところが、その実験成功を見たアメリカ人が、「これはビジネスになる」と考え、ドカンと投資し、約5000基もの地球低軌道衛星を打ち上げた。そしてスターリンクは、もっとも先進的で将来有望な通信ビジネスとして成功している。それが今である。**日本は世界に先んじて実験をするのは得意なのに、その後が続かず、いつの間にか他国に持っていかれてしまうという難点があるのだ。**

話を技術力に戻そう。

もう1つ、ここで挙げておきたいのが衛星に載せるカメラだ。

現在、衛星に搭載されているカメラには、レーザースキャナーのように「線」でスキャンするラインセンサが使われている。これだと撮影頻度があまり上げられない。それを「面」で捉えるセンサとし、しかも衛星を従来よりも低いところで飛ばすことができたら、地球を動画のように観測できる。

もう想像がついているだろうが、これも、2017年、JAXAが「つばめ（SLATS）」という衛星を打ち上げて実証実験を行った。衛星を低いところで飛ばすにはさまざまなハードルがあるのだが、すべてクリアして、この実験に成功したのだ。

衛星のセンサの種類

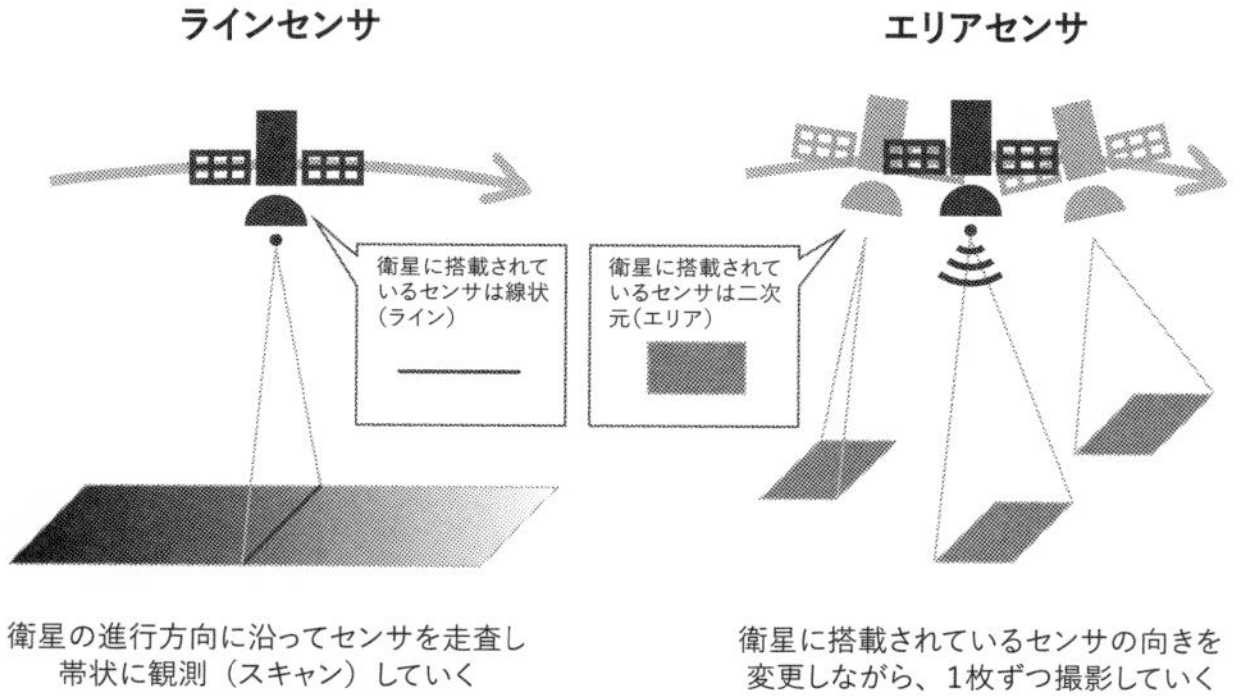

衛星の進行方向に沿ってセンサを走査し帯状に観測（スキャン）していく
衛星に搭載されているセンサの向きを変更しながら、1枚ずつ撮影していく

出典：宙畑「高解像度&高感度夜間光！キヤノン電子の衛星データをサンプルでTellus上に無料公開」（2022年7月7日公開）より

しかしこれも、おそらくは数年以内に、アメリカの会社に持っていかれてしまうだろう。彼らは「これはビジネスになる」と思ったら、えげつないくらいの額を投じて、あっという間に事業化してしまうのだ。

忸怩《じくじ》たる思いに襲われるのは私だけではないはずだ。早く何とかしなくては、日本には宇宙ビジネスのチャンスをつかむ巨大なポテンシャルがあるにもかかわらず、みすみす逃し続けることになる。

・地の利がある

日本は島国であり、周囲に障壁がない。

そのうえ、日本の東方・北方・南方には広

大な海が広がっている。

周囲に障壁がないことはロケット打ち上げの必要条件だ。

また、衛星を積んだロケットを地球上の軌道に乗せるには、東向き、南向き、あるいは北向きに打ち上げる。打ち上げ後、ロケットが段階的に使用済みの部品を落下させながら飛んでも支障がない場所が必要だ。

ロケットを打ち上げた方向に、自国の市街地や他国の領土があったら危険すぎる。

現に、陸続きで四方に他国の領土があるヨーロッパ諸国は、南米のフランス領ギアナにロケットを運んで打ち上げ実験をしている。それだけ余計に莫大なコストがかかっているわけだ。

つまり、**「島国（周囲に障壁がない）」「東・南・北方は海」という日本の地理的条件にも、実は宇宙ビジネスにおける日本の優位性がある**のだ。

私がファウンダーとなっているインターステラテクノロジズ（IST）も、こうした日本の地の利を生かし、北海道の南東地域の一角にある広《ひろ》尾《お》郡《ぐん》大《たい》樹《き》町《ちょう》に本社とロケット射場を構えている。

・規制が緩い

独自の人工衛星を活用したい一般企業は、宇宙開発企業に打ち上げを依頼している。現在のところ、その打ち上げビジネスは、スペースXをはじめとしたアメリカ企業が主に請け負っている状態だ。

しかし、そこでネックとなっているのが、アメリカ製のロケットにかけられているITAR（国際武器取引規則）だ。国家の安全保障に鑑み、武器や武器開発技術が敵対国に流出しないようにする規制法である。

そのため、アメリカの宇宙開発企業に協力してもらえない国々がある。協力してもらえるとしても膨大な書類作成が課されており、かなり面倒な手続きが必要となる。

一方、日本には、そうした規制がない。

つまり、アメリカの宇宙開発企業の協力をあおぎたいけれどもITARのせいで叶わない国々からの依頼に、日本ならば応えることができるのだ。今後、こうした国を中心として、日本製ロケットの需要は高まっていくと考えられるのである。

また、**人工衛星や人を宇宙に送る「宇宙輸送」の依頼も、今後、日本に舞い込むこ**

となると考えられる。その背景はロシア－ウクライナ戦争だ。

ロシアによるウクライナ侵攻が始まるまでは、ロシアが宇宙輸送の2割を担っていた。ところが、ウクライナ侵攻後、対ロシア経済制裁が敷かれたことにより、各国はロシアに依頼できなくなった。

対ロシア経済制裁はまだしばらく続くだろう。となると、かつてロシアが占めていた2割のシェアが日本に回ってくる公算大というわけだ。現に日本の宇宙開発企業には、欧米を主とする衛星運用企業からの問い合わせが相次いでいるという。

世間では、自動車産業の衰退とともに、日本の製造業も終わっていくかに思われているかもしれない。それは違う。**高い技術力を誇る日本のものづくりは続く。自動車からロケットへと「何を製造するのか」がシフトするだけ**なのだ。

ロケットと衛星でつかむビジネスチャンス

先述のインターステラテクノロジズ（IST）のロケット開発は、2005年に結成

インターステラテクノロジズ（IST）による
主なロケット打ち上げ歴

2017年7月、MOMO初号機打ち上げ➡部分的成功
2018年6月、MOMO2号機打ち上げ➡失敗
2019年5月、MOMO3号機打ち上げ➡成功。日本の民間単独開発のロケットとしては初めて、宇宙空間（高度100キロメートル）に到達
2019年7月、MOMO4号機打ち上げ➡部分的成功
2020年5月、MOMO5号機打ち上げ➡部分的成功
2021年7月3日、MOMO7号機打ち上げ➡成功。宇宙空間に到達
2021年7月13日、MOMO6号機打ち上げ➡成功。宇宙空間に到達

された「なつのロケット団」から始まった。宇宙機のエンジニアや科学ジャーナリストなど宇宙好きの人々が集まって、さまざまな実験をし、2013年にISTが発足すると、本格的なロケット開発が始まった。主な打ち上げ歴は上表のとおりだ。

この7度にわたるMOMOの開発と打ち上げを経て、次の開発段階に進む体制は整ったと判断した。現在は、小型衛星を宇宙に運び、軌道に乗せるロケット「ZERO」の開発を進めている。目標は2024年度以降の打ち上げ成功だ。

ZEROを構成する部品数は約3万点。MOMOの部品数の約3・75倍に上り、難易度の高さを痛感している。しかしロケット製造は、まだまだ道半ばだ。２０３０年代の実用化を目指して、大型ロケットＤＥＣＡの開発にも着手した。

私が目指しているのはロケットの「開発」と「打ち上げ」だけではない。

ゆくゆくはスターリンクのような通信ビジネスに参入したいと考えている。

今後、巨大化するであろう衛星通信ビジネスのマーケット規模を考えると、スターリンクの１社独占はありえない。そこに、我がＩＳＴが入り込むチャンスがあると見ているのだ。

そこで２０２１年１月、ＩＳＴにOur Starsという子会社（現在はＩＳＴにより吸収合併済み）を設立し、衛星システムの開発に乗り出した。

Our Starsでは、ピンポン玉サイズの超小型衛星数千機を編隊飛行させることも計画している。それらが大きなアンテナの役割を果たして、「衛星フォーメーションフライト」を編成し、通信サービスを提供しようというものである。

ルーターやアンテナを経由せずに、直接スマホのｅＳＩＭ経由で通信すれば、高速インターネットサービスが可能になる。

ロケット開発と打ち上げ、そして衛星通信。私はISTを、このようにロケットと衛星システムを統合した強力な企業にしていきたいと考えているのだ。

その目標に向かうべく、すでに約80億円の資金調達も終えている。出資者の中には、サイバーエージェントなど、これまでにはなかったインターネット関連企業もある。

だが、これを「追い風」と受け取るには、まだ弱すぎる。

宇宙ビジネスは5億、10億の世界ではない。50億、100億の世界だ。もし私が100億円持っていたら、迷わず全張りする。それくらいの資金力をもつ企業はあるだろうに、まだ、その規模の資金提供の声はかかっていない。

さらなる追い風を吹かすことができれば、私は、**衛星コンステレーションで「グローバル規模のNTTドコモ」ができるかもしれない**と考えている。グローバル規模の衛星コンステレーションのビジネスは、10倍以上の規模になると予感しているのだ。

ロケットを製造して打ち上げるのは技術的にハードルが高い。

地球の質量は大きく、重力は強い。その重力に逆らって、大気が濃いところから薄

ロケット産業で意識すべき3つのビジネスの軸

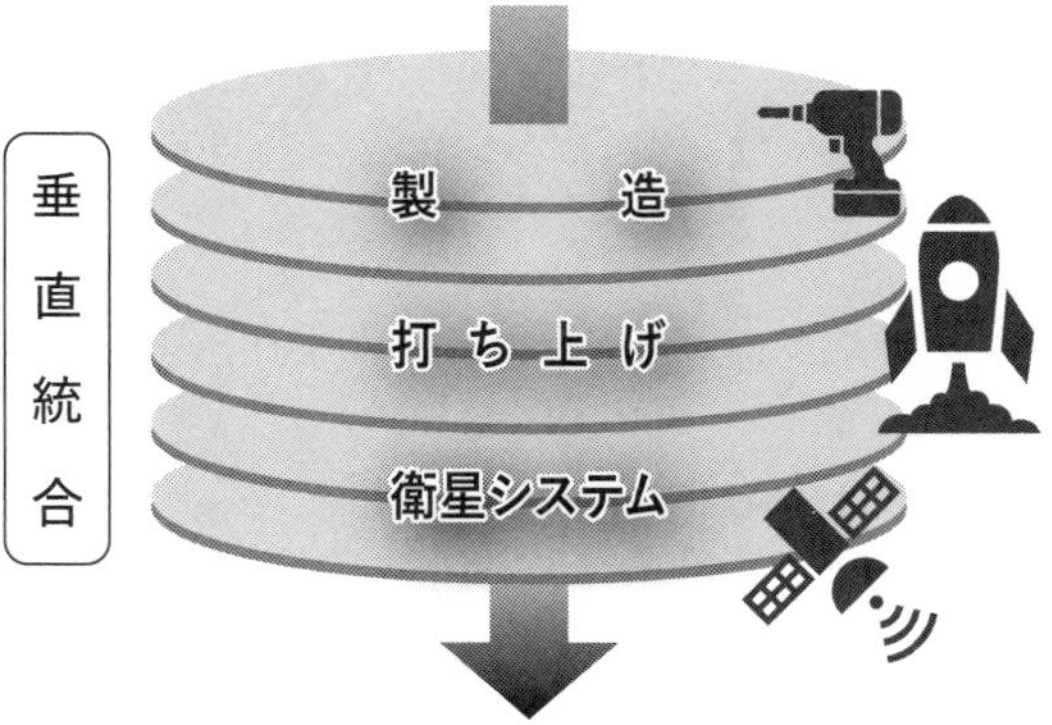

いところまで超強力な出力を使って超高速で飛ばし、地球上の軌道に乗せ、水平飛行させる。もう一度言うが、ロケットは作るにも飛ばすにも、とてつもない技術力を要するのだ。

したがって、ロケットの「製造」「打ち上げ」「衛星システム」を垂直統合できる企業は、そうそう生まれないだろう。言い方を変えれば、もしそれを実現する会社が現れたら、その1社が大変な競争力を持つことになるのだ。

となると、将来的には、ロケット産業にも独占禁止法のような規制法が設けられ、自社のシステムをリーズナブルな価格で開放せよということになるかもしれない。

かつて数社の独占状態だった通信キャリアが、ある程度の値段で新規参入組に基地局ネットワークを貸し出さなくてはいけなくなったのと同じように、だ。

しかし、もしそうなったとしても、すべてを外部に対して割り当てよということには、さすがにならないだろう。自社のシステムがあったほうが、有利であることは間違いない。

また、私の頭には、衛星メーカーよりもロケット製造企業に圧倒的優位性があるという考えもある。衛星があってもロケットがなければ飛ばせない。そしてロケットの開発には莫大な時間的・金銭的コストがかかる。

したがって、力関係的にロケット製造会社のほうが強くなることは自明だ。宇宙ビジネスのなかで「ロケットを作って飛ばせる」ということには、それだけの競争優位性があるのだ。しかも、仮に将来的に規制がかかるとしても、それまでは打ち上げ放題だ。

将来的には、我がISTのような会社が、衛星メーカーを買収し、宇宙事業の総合企業となっていくかもしれない。

ＩＳＴを**ロケットの製造、打ち上げ、そして衛星システムの3本柱**でやっていこうというのは、こうした考えからなのである。かつて私はインターネットの民主化の波に乗ってＩＴビジネスで成功した。今度は宇宙の民主化の波を受け、ロケットと衛星で巨大なビジネスチャンスをつかもうとしているのだ。

来たれ、宇宙ビジネスへ

本章で繰り返し述べてきたように、宇宙ビジネスの民主化は急速に進み、スターリンクを超える宇宙ビジネスの可能性も拓かれつつある。どんな市場が出現し、何が求められているか。そこには想像をはるかに超えたものもありそうだ。

宇宙ビジネスの民主化の波に乗るのは、どんな人間なのか。そこでは、どんなビジネスが生まれるのか。まだ見ぬ可能性に私は思いを馳せている。

こうした未知の世界で成功するための秘訣は、どこにあるのだろうか。まず、自分でプロダクトやサービスを立ち上げ、ビジネスを創出しなくては、話は始まらない。

そこで私が注目しているのは、「オタク」と呼ばれる人々である。

「オタク」とは、特定の分野に詳しかったり、自分の好きな分野に傾倒したりしている人々のことだ。概して人付き合いが悪く、少し前までは「変人」扱いされることも多かった。

しかし、そのユニークな発想には、ときに目を瞠《みは》るものがある。

たとえば、すでに世間的に認知され、受け入れられている「Vチューバー」なども、オタク発祥の新しいカルチャーである。

2022年6月8日、Vチューバーのグループを運営するエンターテインメント企業「ANYCOLOR（エニーカラー）」が東証グロース市場に上場。2日目となる9日の終値ベースの時価総額は1652億円となった。

アバターを使って「バーチャルなYouTuber」になろうなどという発想は、私には持ちようもない。「顔は出したくない。でもYouTuberとして活躍したい」という願望が理解できないからだ。

しかし、世の中には、顔を出すことで誹謗中傷されるリスクを背負うのは嫌だけど、自分の「出し物」を多くの人に楽しんでもらいたい、目立ちたい、人気ものになりたいと願う人、そしてそれを実際に好んで消費する人たちが意外と多いようなのだ。ANYCOLORの例は、そのことを物語っている。

また、動画配信プラットフォーム「ニコニコ動画」も、かつてはオタクの世界のものだったが、あるきっかけで流行した。

それは、ニコニコ動画上でミュージカル「テニスの王子様」につけられた自動生成字幕だ。

自動生成の精度はあまり高くない。それがそうとうおかしな具合に間違っており、なかにはかなり下品な言葉になっていたところもあったことが、笑いを誘った。通称「空耳字幕」——これをきっかけとしてニコニコ動画は大流行したのである。

初めて「空耳字幕」を見たとき、私は「これは流行る」と直感し、運営元のドワンゴの株を買った。予想は的中し、それまではオタクのものだったニコニコ動画は、「空耳字幕で笑う」という意外な用途により、新たなユーザー層を獲得していった。

もう1つ例を挙げておこう。

だいぶ前のことになるが、2005年のライブドア時代に、私は同人作品、ゲーム、コミック、音声作品などのコンテンツを販売する二次元総合ダウンロードショップ「DLsite（ディーエルサイト）」を運営するエイシス社を買収した。買収額は20億円ほどだったが、今の売り上げは250億円にもなる。

DLsiteの主な商品は「エロ」や「パロディ」を扱う同人誌であり、それをネットで販売する。要はネット上でコミケをやっているわけだ。私はこういう会社があることをまったく知らなかった。当時、ライブドアにいたオタクっぽい社員が見つけてきたのだ。

かつて、いわば「日陰者」だったオタクたちは、インターネットの民主化と共に、思いもよらないビジネスの種をまいてきた。

インターネットの民主化と宇宙の民主化が相似形を成すというのは、本章でも繰り返し述べてきたことだ。ならば、宇宙ビジネスにおいても、オタクパワーが、何か凡人には思いつかないような発想をもたらしてくれるのではないか。

今や大企業に入社して実績を積み重ね、信用を得ていくという時代ではなくなっている。中学生でも高校生でもいい。斬新な発想で新たなビジネスアイデアを生み出し、実現することこそ、今、求められている。

大事なことは**「思いついたら動く」**、その一点に尽きる。

本当にいいアイデアだったら、クラウドファンディングで多くの支持者が集まり、資金調達できるはずだ。資金が集まらなくても、がっかりすることはない。実行に移す前に、「このアイデアは多くの人に支持されるものではなかった」とわかったことが財産だ。時間、労力、お金をつぎ込む前に立ち止まることができる。

先述のISTでも、MOMO初号機から5号機まではクラウドファンディングで打ち上げ費用を賄《まかな》った。6号機、7号機のMOMOにはスポンサー企業のロゴや謳い文句をプリントした。

なかでも6号機は、アダルトグッズメーカー「TENGA（テンガ）」と共同で「TENGAロケット」を打ち上げるプロジェクトとなったのだが、これを発表したときは、ずいぶん批判されたものだ。「宇宙を宣伝に使うな、学術以外の用途はけしからん」というわけだ。

しかし、その6号機の打ち上げに成功すると、TENGAとのコラボ効果もあり、幅広い世間的関心を集めることができた。それまでは宇宙開発関係者やコアな宇宙ファンにしか注目されていなかったものが衆目を集めることとなり、我が社の小型ロケット開発事業に対する認知度も高まったのだ。

また、TENGAの人形モデルを宇宙空間に放出し、回収にも成功したことは、国内の民間企業による宇宙空間への物資放出および回収の初事例となった。

こうしたアイデアの実現を通じて、私は「宇宙をみんなのものとすること」の一歩前進に一役買うことができたと思っている。

何度も述べてきたことだが、民主化したときに、その産業はスケールする。そこから、ようやくさまざまな自由な発想がもたらされ、混じり合い、新しいビジネスが生まれる。今まさに民主化が進みつつある宇宙には、その可能性が満ちあふれているのである。

宇宙の民主化の波に乗るには、自分でプロダクトやサービスを立ち上げ、ビジネスを創出してしまうのが一番早い。だからこそ、特に若い人たちには、オタク気質の人もそうでない人も、どんどん宇宙に興味をもって、関わってきてほしいと願うばかりである。

第3章

EV社会で自動車産業は再編される

自動車産業で進む「日本潰し」

近年、日本の自動車産業は危機に瀕している。高度な技術を要する内燃機関車（ガソリン車、エンジン車）において他の追随を許さなかった点が日本の自動車産業の強みだったのに、このところEV（電気自動車）へのシフトが急速に進められようとしているのだ。

「脱炭素社会の実現のため」と謳われてはいるが、世界中がこぞって、今まで一人勝ち状態だった日本の自動車産業を潰しにかかっているのではないかと疑いたくなる。

EUには、ベンツ、BMW、フォルクスワーゲンなど、誰もが憧れる自動車メーカーがある。それでも、技術力の高い日本は、自動車業界をリードしてきた。

その1つがガソリンエンジンなのだ。高温の流体がピストンを回すという仕組みになっているガソリンエンジンは開発が難しい。どれほど性能のいいコンピュータでも完全なシミュレーションができないため、何回もの試行錯誤が必要となる。

そこでものを言うのが、長年にわたり蓄積されてきた技術力とノウハウだ。日本の自動車メーカーは、昔からガソリンエンジンを作ってきた。とうてい他国の自動車メーカーが追いつけないほどの技術力とノウハウがあるのだ。

そこへきて、2022年10月、EUは、2035年以降、内燃機関車の販売を禁止すると発表した。その後、二酸化炭素と水素から作られる合成燃料（イーフューエル）を使用する場合のみ内燃機関車の販売を容認するという変更は加えられたが、それでも強い規制が設けられることには変わりない。平たく言えば「ガソリン車はダメ。EVを買いなさい」というお達しが出されたわけだ。

EVとは、その名のとおり、電気を原動力としてモーターで走る車である。開発段階における内燃機関車とEVの違いは、「電気は計算どおりに動く」こと。つまりEVの開発では、コンピュータで完璧なシミュレーションができるのだ。

そうなると、**今までガソリンエンジンの開発を通じて、日本の自動車メーカーが蓄積してきた膨大なノウハウや技術力の圧倒的優位性は失われる。**

二酸化炭素を排出するガソリン車を禁止し、EVを推進するのは、たしかに、一見

EVとエンジン車の違い

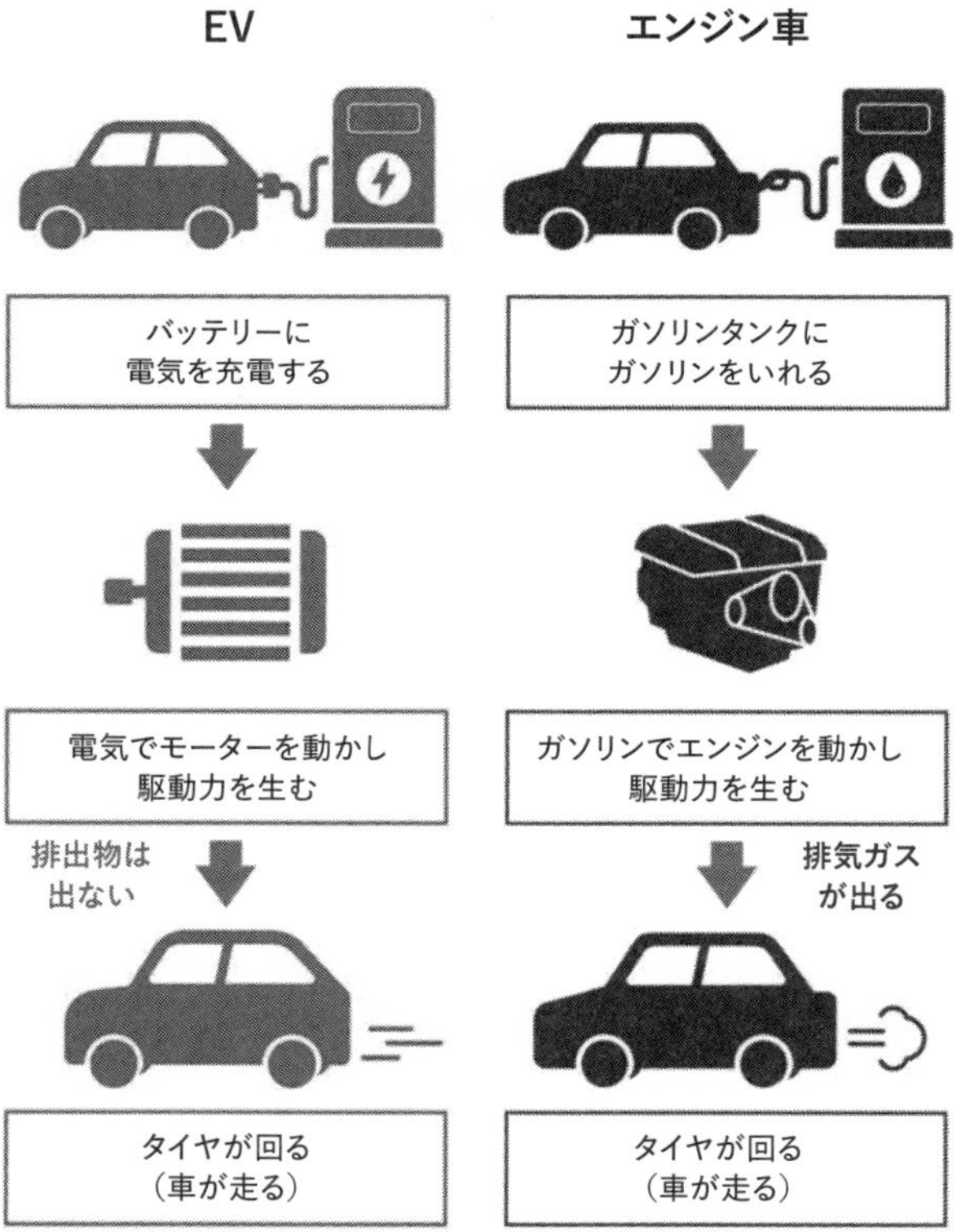

出典：EV DAYS「【図解】5分でわかる！電気自動車（EV）の仕組み｜どうやって動く？エンジン車との違いは？」（2021年4月13日公開）より

するところ、環境問題に配慮しているように思える。だが、EUが設けた販売禁止車の中には、ハイブリッド車やプラグインハイブリッド車も含まれている。

ハイブリッド車やプラグインハイブリッド車は、トヨタをはじめとする日本の自動車メーカーが得意とする分野だ。それらをも禁止するのを、環境問題の看板を借りた「トヨタ潰し」「日本の自動車産業潰し」と見ないほうが不自然ではないか。

しかし、いくら文句を言っても、「ガソリン車からEVへ」というのが、すでに世界的潮流になってしまっているなかでは負け犬の遠吠えにしかならない。

いずれ、**車はモーターとバッテリーとコンピュータだけで動くものになっていくだろう。**

そうなれば、日本の自動車産業は一転、劣勢に立たされる。さしあたってはEUだが、世界全体のGDPの約20%を占めるEUを失うのは非常に痛い。

二酸化炭素を排出しないEVは、とかく「環境問題への配慮」「脱炭素社会の実現」といった耳心地のいいエコ用語と好相性だ。真の意図がどこにあろうとも、大きな声でガソリン車からEVへのシフトを叫ぶことができる。

内部構造を比べてみる

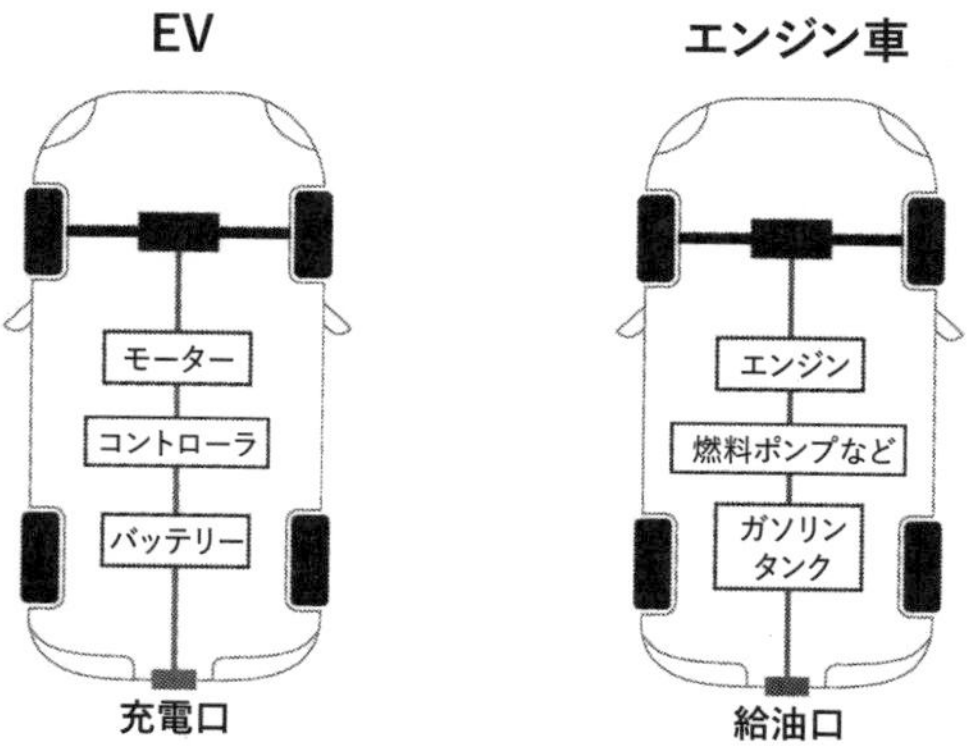

出典:EV DAYS「【図解】5分でわかる!電気自動車(EV)の仕組み｜どうやって動く?エンジン車との違いは?」(2021年4月13日公開)より

現にEUだけでなく、アメリカではEV推進のための税制優遇措置が講じられているし、大量の二酸化炭素排出を非難されている中国も、EV推進へと舵を切っている。いずれも掲げられている旗印は「環境問題への配慮」「脱炭素社会の実現」だ。

この世界的潮流、しかも、真意はどうあれ「エコロジーというよいもの」に向かって盛り上がっているトレンドの前では、日本のお家芸であるガソリン車は分が悪すぎる。もはやオワコンと見られても仕方ない。

となれば、このEVシフトの波に乗っ

ていくことが日本の自動車産業の生き筋となるだろうが、それが致命的に出遅れているると言わざるをえないのだ。日産のカルロス・ゴーン氏だけは先見性があったようだが、ほかならぬ日産に追い出されてしまった。

テスラVSトヨタの行方

日本の自動車メーカーはＥＶ開発で大きく後れをとった。それは、携帯電話におけるガラケー対スマホによく似ている。

スマホはガラケーから進化したものに見えるかもしれないが、それはまったく違う。ガラケーはあくまで「電話機」であり、電話以上の機能を持たせることはできない。もちろん初期のものに比べれば小型化したし、メール機能やカメラ機能が搭載されてはきたが、ディバイスとしての機能は「電話機」の域を出ない。

一方、スマホは、アップルが「iPhone」(Phone＝電話) と名付けたために電話機のような印象を与えたが、最初からパソコンだった。

ガラケーにはなかったタッチ操作や優れたユーザーインターフェースを導入したiPhoneは「携帯電話」ではなく「携帯パソコン」なのだ。

さて、そんなスマホの登場で何が起きたか。それは、ガラケーの覇者である「ノキア」の衰退である。ノキアはフィンランドのメーカーで、1998年から2011年まで世界一の販売台数を誇り市場を独占した。

ところが、スマホへの乗り換えが遅れ、時価総額はなんと90％も下落。倒産の危機に陥ったあげく、携帯電話事業から撤退したのである。通信機器メーカーとして再出発し、倒産は免れたが、かつて世界トップに君臨した覇者の面影はすっかり消え失せた。

この構図をガソリン車とEVに置き換えると、私の目には、トヨタがノキアに重なって見えてしまうのだ。

トヨタは1997年、ハイブリッド車のプリウスを発売し、世界的にヒットした。しかし、このヒットがEVで後れをとる大きな原因になってしまった。初期のEVは、ガソリン車やハイブリッド車よりはるかに劣っていた。バッテリー性能が悪く、製造コストも高かった。そのため、トヨタはEVを甘く見ていたのである。

トヨタにしてみれば、EVは多少の進歩はしても、ハイブリッド車以上のものになるとは思っていなかったわけだ。だから、EVに目を向けることなく、水素を燃料にした内燃機関「水素エンジン」の導入に注力するようになった。

そのトヨタが、ようやくEV開発に力を入れるようになったのは2021年のことだ。「2030年までに30車種のEVを市場に出す」と発表し、さらに2023年に社長に就任した佐藤恒治《さとうこうじ》氏は、「従来とは違うアプローチで、EVの開発を加速する」と表明した。

しかし、完全に出遅れているのは誰の目にも明らかだ。

iPhoneを世に送り出したアップルがノキアをモバイルディバイス市場から締め出したように、アメリカのEV大手テスラがトヨタを自動車市場から追い出す。そんな未来が、ありありと目に浮かぶ。

現在、トヨタの業績は絶好調だ。モバイルディバイスと違って、自動車は買い替えサイクルが長いから、今、街中を走っているガソリン車が、今日明日にもすべてEVになってしまうといった事態は起こらないだろう。トヨタも、すぐに倒産危機に陥ることはない。

しかし、やがて必ず買い替えのタイミングは訪れる。そのときは、大半の人がトヨタよりテスラを選ぶだろう。そこがトヨタの「終わりの始まり」になるかもしれない。10年、20年後には、自動車産業は日本の基幹産業でなくなっている可能性も十分考えられる。

長きにわたり日本の大黒柱だった自動車産業が衰退すると、現在、自動車関連産業に従事している約554万人もの人々が失業の危機に瀕することになる。17・3兆円もの自動車輸出額を誇った2022年が、はるか遠き夢の日々になる事態が待っているのではないか。

そんな事態を招かないために、できることは何か。

もはやガソリン車には未来がない以上は、EVでテスラに追いつき追い越すしかない。総力を挙げて、その道を探ってほしいものである。今は、トヨタが発表した「2030年までに30車種のEVを市場に出す」というのが有言実行となり、成功することを祈るばかりだ。

勝ち取るべきはソフトウェアに強い人材

現実的に考えて、トヨタがテスラに追いつき追い越せる可能性はあるのか。

まず、トヨタの資金力と、自動車製造における抜群の技術力に疑う余地はない。だが、ＥＶ開発には、自動車製造における抜群の技術力以外のものが必要だ。ガソリン車やハイブリッド車には搭載できない技術、すなわち情報通信技術である。

たとえば、ＥＶのトップメーカーであるテスラやＢＹＤ（中国）が製造しているＥＶには、常時インターネットに接続できる機能がついている。

つまりテスラ製、ＢＹＤ製のＥＶは、いうなれば「走るスマホ」なのだ。スマホは、端末を変えなくても、ＯＳがアップデートすると新しい機能を加えることができる。それと同じようなことがＥＶでも可能になっているのである。

たとえば、自動運転で駐車できる機能を、テスラはＥＶの販売開始後にリリースした。まさしくＯＳのアップデートによって、すでに手元にあるＥＶに新機能が付与されたわけだ。その他、数か月に1回くらいのペースで細部の機能が改良されている。

ここから言えることは何か。**EV開発では、「電気で動く自動車」というハードウェアを作る技術だけでは足りない。ソフトウェアを充実させることが必須条件**なのである。

スマホは、バッテリーの持ち時間や処理速度、あるいは強度といったハード面と、OSやアプリなどのソフト面の両方から成る。EVも、これとまったく同じなのだ。そう考えると、IT企業を率いてきたイーロン・マスクが代表を務めるテスラが、EVで圧倒的な強みを発揮しているのもうなずけるだろう。

トヨタも、テスラに追いつき追い越すには、ソフトウェアに強い人材を集めることだ。しかし、私の見たところ、動きは鈍い。トヨタの経営陣がソフトウェアの重要性に気づいているのかどうかも怪しいものだ。

これは日本企業の古き体質にも原因があると思われる。

日本の大手企業はソフトウェアの開発が得意ではなく、大部分を下請けに回してきた。トヨタも、パナソニックや子会社のデンソーなど車載器メーカーに頼っているという実態がある。さらにまずいことに、子会社は、実質的な開発を孫請け会社に任せている。

つまり、ソフトウェアに強い人材が親会社にも子会社にもいないのだ。このソフトウェアの課題に一日も早く気づき、ソフトウェア人材を確保しない限り、トヨタはEVで巻き返せないまま、じわじわと弱っていくだろう。

「自動車」の既成概念から脱却せよ

日本の自動車産業は、すっかりEVシフトの波に乗り遅れている。ここで少し目先を変えて、「未来の車社会」について考えてみたい。

私の頭に浮かんでいるのは、**「パーソナルモビリティ（一人乗りの移動手段）社会」**である。

セグウェイや電動キックボード、電動車椅子など、パーソナルモビリティが街を走り回る。そして、あらゆるパーソナルモビリティから降りることなく、バスや電車、タクシーに乗れるようにする。

そのバスや電車、タクシーは無人自動運転で、座席は取っ払われており（みなパーソナルモビリティごと乗車するので座席は必要ない）、さらには乗車中にパーソナルモビリティに充電できるようになっている。

もちろん歩道や停留所などは、完全バリアフリーだ。

そうすれば、車椅子の人たちは他者の介助なしに自由に公共交通機関を使えるし、他のパーソナルモビリティユーザーの移動もスムーズになる。パーソナルモビリティ社会では、バリアフリーは、体に障がいのある人たちだけのものではないのだ。

自動運転が当たり前になれば、たとえば飛行機のファーストクラスの座席のような座り心地のいい電動車椅子、なんていうのもいいだろう。

これで「移動」が劇的に快適かつ効率的になる。

そんなイメージが、はっきりと浮かんでいるのだ。「自動車」というものの既成概念から外れてはいるが、実現は難しくないはずだ。まず発想を、既存のイメージからちょっと脱却させてみれば、見違えるように便利な世の中を実現することができる。

第 4 章

テクノロジー時代の教育変革

学校という檻から子どもたちを解放せよ

これからの時代、旧来の学校教育の解体・変革も待ったなしの重要テーマだ。たとえば、クラスルームで一斉に行う授業では、勉強ができる子とできない子のレベル差に対応できなかった。しかし、ちょっとテクノロジーを駆使すれば簡単に実現できる。

授業についていけない偏差値50未満の子どもは、40人学級だと15～20人はいるだろう。授業で彼らを置いてきぼりにするわけにはいかない。かといって、一番できない子に合わせて授業を進めていたら、できる子たちが伸びない。

そもそも、なぜ全員を1つのクラスルームに集めて、授業をしなくてはいけないのだろうか。

従来の集団教育は、いわば旧式の軍隊式教育の名残だ。校庭や体育館に生徒を集め、「気を付け！」「休め！」「右へならえ！」などと怒鳴って、生徒に一斉行動を強いる。まさに軍隊だ。兵隊に号令をかけ、戦争に駆り立てた頃の教育を思い起こさせる。たしかにこの「右へならえ」式の教育は、欧米に追い付け・追い越せの高度経済成長期の日本では役に立った。全員が同じ方向を目指し、余計なことを考えずに、ひたすらがんばることのできる人間が優秀とされた。

しかし、「右向け右」で、大号令に従うだけの人間は、これからの時代、ＡＩに取って代わられる。指示されたことをそのまま、高精度に遂行する能力なら、ＡＩのほうがずっと優れているからだ。

これからの人材に求められるのは、むしろ指示されていないこと――誰も考えたことのないような新しいことを発想し、思考力と創造性、行動力を駆使して実現していける、そんな能力である。

そして、そんな人材を育てる今様の教育――知るべきことを「教え」、子どもの可能性を「育む」という本当の意味での教育を実現していくためには、まず、生徒を一箇所に集めるという旧来の発想から脱却すべきなのだ。

そうすれば、先に述べた「できる子・できない子」問題もすぐに解決できる。

まず、授業はすべてオンラインにする。できる子は放っておいても自習し、どんどん学力をつけていくだろう。他方、できない子にはチューターをつけ、オフラインも併用して細やかに勉強をサポートする。

こうすれば、日本の子どもたち全体の学力アップにつながる。できる子はどんどん伸び、できない子の学力は底上げされる。「授業の進みが遅くてつまらない」という不満も、「授業についていけなくてつらい」という劣等感も生まれない。双方がハッピーだ。

オンライン授業を増やすだけで、子どもたちの頭脳も肉体も、学校という「檻」から解放される。それがまず重要だ。

17世紀のヨーロッパでペストが流行した際、ケンブリッジ大学の学生だったニュートンは、大学の閉鎖によって故郷に帰省したときに「万有引力の法則」を発見したという説がある。重要な発見が学校外の自由時間になされたというのは興味深い。

これが事実かどうかは別として、子どもを学校という狭い空間に閉じ込めてしまうのは、あまりにもったいない。変化の激しい、新しい時代に対応できるクリエイティブな頭脳の養成には、むしろ現状の学校の解体、ないしは縮小が積極的に求められる。学校の役割は勉強を教えることではない。生徒たちを一箇所に集めることは、子どもたちの社会性の育成につながっているのだ――そんな声が聞こえてきそうだが、バカをいわないでほしい。

学校以外の場所にも、いくらだって人付き合いの機会はある。オンラインで外国に住む人と仲良くなるかもしれないし、年の離れた友人ができるかもしれない。むしろ同じ地域に住み、同じ年齢というだけで1つの箱に押し込められ、「仲良くしなさい」という公立校の仕組みこそ不自然なのだ。

学校の外で自由な友人関係を築いたり、誰かのYouTubeチャンネルにはまったり、ゲームに夢中になったりするほうが、新時代を生き抜く頭脳を育むことにつながる。

では、学校は子どもを安心して預けられる場所であり、共働き夫婦には絶対に必要――という批判はどうか。これには少し行政の力が必要だ。ベビーシッター・サービスを使える補助金やクーポンを出せばいい。

オンライン授業の導入によって一斉授業を減らし、チューターやティーチング・アシスタント（TA）が、サポートを必要とする子たちの面倒を見る。この体制を組めば、学校の巨大なスペースは必要なくなり、せいぜい地域の児童館や公民館レベルに縮小できるはずだ。

つまり学校という広大なスペースが、ほぼ丸ごと空くのだ。公立校の場合、その土地・建物は自治体所有である。建物を民間企業に貸し出してオフィスとして活用してもらう、あるいは更地にして売却すれば、かなり大きな利益となって自治体の財政が潤うだろう。

子どもたちを学校という檻から解放することには、こんなうれしい副産物までついてくるのだ。

〝教師ガチャ〟の不幸とはおさらば

私が考える新時代の教育改革は、「教師不足」「教師の質の低下」という難題にも、鮮やかな解決策を提供できるだろう。

教師不足は年々ひどくなっている。2023年4月の文部科学省アンケートでは、43%の自治体が「教師不足は1年前より悪化」したと答えている。一時期、東京都内の公立小学校では教師不足を補うため、やむなくハローワークに求人を出したことさえあった。

だからといって、一部に動きがあるように、教員試験のハードルを下げるのは論外である。いくら教師不足といっても、**力不足の教師を増やしては〝教師ガチャ〟でハズレを引く不幸な子どもが増えるだけ**。何の解決にもならないばかりか害悪である。

こんな時代に、あえて教師になるとしたら、そうとう高いモチベーションが必要だ。時間外労働や休日労働は当たり前、安月給のうえに公立校では残業代もろくろく支払われない。いくら残業をしても、給与のわずか4%の教職調整額が支払われるだけである。

そのうえ、昔は「聖職」とまで呼ばれた教師の職業柄、同じ人間なのに、とりわけ清廉潔白であることが求められる。そんな窮屈で不自由な生活を強いられながら教師を続けるには、よほどの意欲と志がなくてはならない。

しかし、教師にまつわる難題を強い意欲と志で乗り越えろと言われても、多くの人にとっては無理な相談だろう。要するに、教師不足は起こるべくして起きているのだ。

さて、ここまで私は教師不足、教師不足と連呼してきたが、前項ですでに解決策を示してある。すなわち**オンライン授業を導入すれば、教師不足問題など瞬殺**なのだ。おまけに教師の質の低下まで解決できる。

オンライン授業は、パソコンやタブレットディバイスを使って自宅で受ける。クラスルームに何十人もの生徒が集まらないわけだから、この時点で、教師は大勢の生徒を一度に見なくてはいけない労力から解放される。

それに、オンライン授業は基本的に「録画」である。つまり、教師は、ひとたび自分の都合のいい時間に授業の動画を撮影してしまえば、同じ内容の授業を何度も繰り返すような無駄が省けるのだ。

その結果、授業の準備にかける時間、授業そのものにかける時間が大幅にカットできて、びっくりするほど労働時間を短縮できるのである。

学校に生徒が集まらない結果として、学校に必要な教師の絶対数も格段に減る。教

オンライン授業が教育を救う

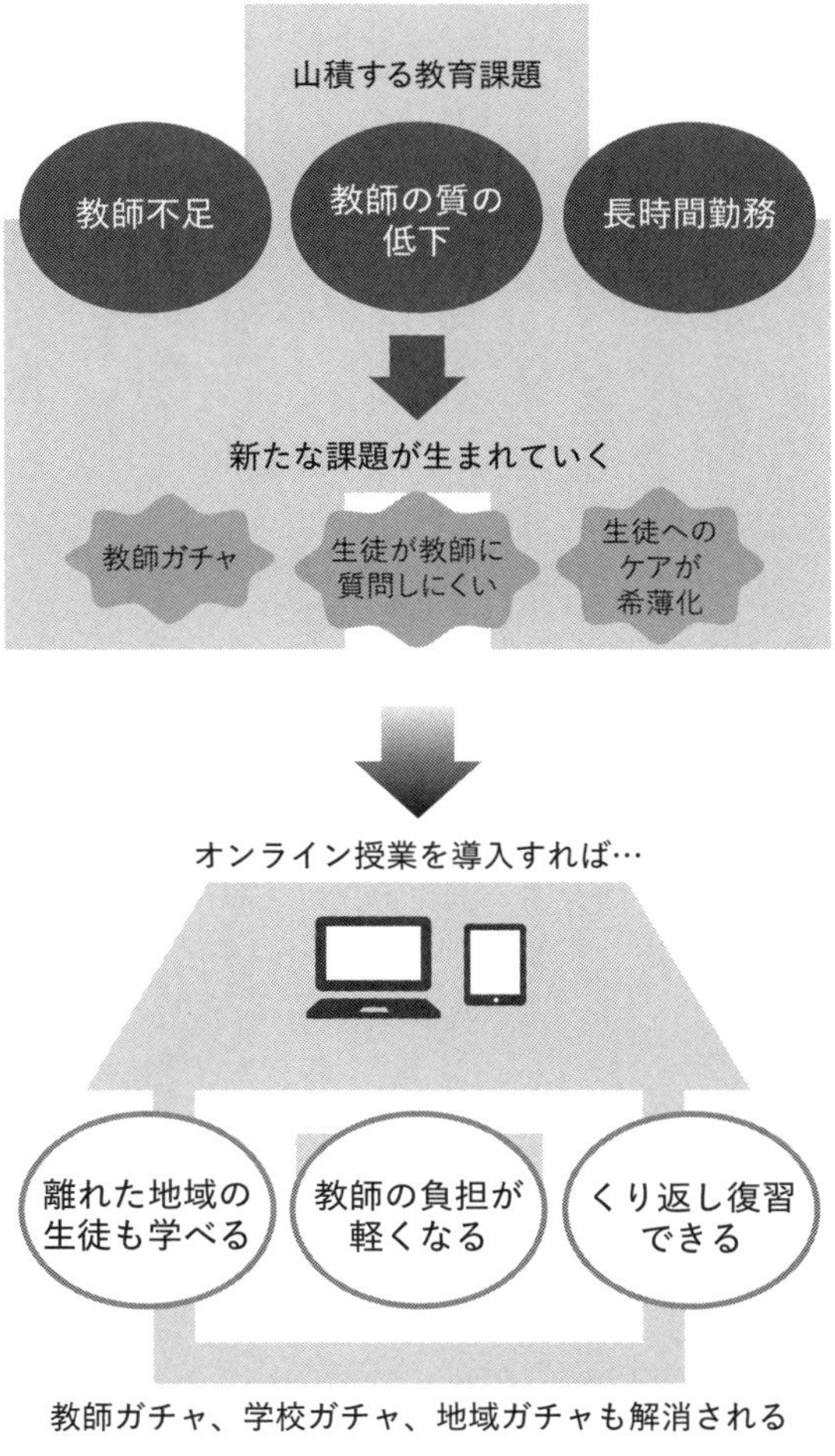
山積する教育課題
教師不足
教師の質の低下
長時間勤務
新たな課題が生まれていく
教師ガチャ
生徒が教師に質問しにくい
生徒へのケアが希薄化
オンライン授業を導入すれば…
離れた地域の生徒も学べる
教師の負担が軽くなる
くり返し復習できる
教師ガチャ、学校ガチャ、地域ガチャも解消される

師不足は、つまり教師を増やすことではなく、必要数を減らすことで解決されるのだ。

それにより教師の任を外れた元・学校教師にも果たせる役割がある。オンライン授業を受けるだけでは学力を伸ばせない子どもたちの個別サポートだ。

前項でも述べたが、本当にできる子は放っておいても自ら学び、勝手に伸びる。教師の目などむしろ邪魔といってもいいくらいだ。一斉授業をやめる代わりに、サポートが必要な生徒にだけ、きめ細やかなサポートを入れるようにすればいいのだ。

もちろん、オンライン授業の導入は生徒にとってのメリットも大きい。

まず、オンライン授業ならば、決められた時間に学校に行き、決められた時間を学校で過ごす必要はない。好きな時間に、好きな場所で授業を受けられる。

そして、何より大きなメリットは、つまらない教師の授業を我慢して聞かなくてよくなることだ。つまり教師ガチャが解決されるわけだ。

ある科目を嫌いになった理由として、よく挙げられるのは「教え方が悪い先生に当たってしまったから」ではないだろうか。

本来、「新たなことを学ぶ」「知識を身につける」というのは、誰にとっても楽しく刺激にあふれるものであるはずだ。

にもかかわらず、子どもが特定の科目、ひいては勉強そのものが嫌いになるのは、ほとんどの場合、子ども自身のせいではない。子どもの知的好奇心を刺激できない教師、もっといえば減退させる教師のせいである。

子どもの知的好奇心は、考える力やクリエイティビティの基盤であり、長じてからの独創性や生産性に直結している。だからこそ、教師の質を保つことが重要なのだ。

オンライン授業を導入すれば、教え方が抜群にうまい教師の授業を１クラスの範囲を超えて広く届けられる。各教科において、誰の授業を受けるのかを選べるようにすれば、教え方が絶望的に悪いダメ教師は淘汰される。まさに教師ガチャからの解放である。

近年、YouTubeなどを活用した大人の学び直しブームや教養ブームが社会人の間で高まっているが、これはオンライン授業の先駆け的な現象といっていいだろう。この現象を牽引しているのが、優秀なクリエイターのつくる良質なコンテンツだ。

チャンネル登録者数５３０万人（２０２４年6月時点）の「中《なか》田《た》敦《あつ》彦《ひこ》のYouTube大学」

をはじめ、教養系のYouTuberや、教え方に定評のある塾講師が続々と優良コンテンツを送り出している。

こうなってくると、もはや学校教師が授業を行う必要すらないように思えてくる。国語、算数、数学、社会科、日本史、世界史、物理、化学……と、それぞれの教科で、優秀な「先生」が教えている動画コンテンツを視聴すれば事足りてしまう。

たとえば、国語なら、東進ハイスクールの林修《はやしおさむ》先生以上にうまく教えられる国語教師は、そうそういないだろう。どの教科にも、必ず、そんな「林修先生」が存在するはずだ。

そしてオンライン授業なら、すべての教科で、教え方が抜群にうまい先生の授業を全国津々浦々にまで平等に届けることができる。文部科学省が、学習指導要領の策定などを通じて行き届かせようとしている「一定水準の教育」も簡単に叶ってしまう。

オンライン授業が当たり前になれば、いつでも、どこでも「いい授業」を受けられる。教師ガチャどころか学校ガチャ、さらには地域ガチャすらも解消されるわけだ。

まずは過疎地や離島から導入して、効果のほどを確かめるのもいいだろう。

従来の「学校」とは違う教育現場に期待

いろいろと問題を指摘されながら、それでも小・中学校から高校、大学までの「学校」という教育機関が維持されてきた背景には、根強い学歴偏重主義がある。現時点では、依然として、人材を選ぶ際には「学歴」でフィルタリングすることが多い。

だが、こうした**学歴の役割も、近い将来、崩壊する**と私は考えている。

名門だろうと何だろうと、今や大学は「ブランド」に過ぎない。偏差値の高い有名大学を出たからといって、その人が優秀な人材であるとは限らない。大学とは、いわば、必ずしも実体の伴わない「幻想」と化しているのだ。

そういう意味では、大学はルイ・ヴィトンやエルメスと同じだ。

ハイブランドの価値が失われないのは、もともとブランドビジネスと思ってやっているからだろう。彼らは「ブランド品を持っているというステータス」を売り、それを欲する人が買う。ブランドのステータスなんかよりも、自分に似合うか、機能性は高いかといった点を重視する人は買わない、というシンプルな需要と供給の話である。

同じように、大学も、上位の名門校はブランドビジネスに突き進む可能性がある。そうなれば、名は知れていても教育の中身はないという、教育機関として身も蓋もないことになっていくだろう。

もっとも私は、前々から、そんな身も蓋もなさを感じていた。

最初に実感したのは東大を中退したときだ。親を含む周囲の人たちからは、「せっかく東大に入ったのに、もったいない」とさんざん言われ、心配された。しかし、よくよく考えたら、東大は「卒業したこと」よりも「入学したこと」のほうが大事なのである。

世間では「東大に入学した」というだけで十分ハクがつき、それは中退しようと卒業しようと変わらない。わざわざ時間をかけて卒業しなくても、私はすでに「東大」というブランド価値を手に入れていたわけである。

大学のブランド価値の本質は「入学すること」にある。しかも、その価値を持つ大学は東大を含め、ごく少数だ。そのことがわかったので、私は東大を中退した。

だが、これは、まさに学歴偏重主義が最盛期の話で、今後は劇的に変わっていくだろう。名門大学はブランドビジネス路線をひた走るかもしれないが、どのみち大学名がブランド価値を失う日が、近いうちに、必ず訪れる。

やがては、前項でも挙げた「中田敦彦のYouTube大学」で知識教養を身につけたとか、私が作った「ゼロ高等学院」「HIU（堀江貴文イノベーション大学校）」で学んだといった人材のほうが高い価値を見出される時代が来るだろう。

実際、HIUの出身者には、すでにさまざまな事業にチャレンジして、成功を収めている人たちがいる。それは、いわゆる「学校秀才」的に頭がいいというよりも、むしろ、いい意味でバカであり、既成の知識やルールに捉われない発想力と行動力があるタイプだ。

こういう事例は、今後も続々と出てくるだろう。そうなれば、世間の受け止め方も確実に変わる。「大学なんか行かなくていい」と考える人も増えるはずだ。

大学どころか、コロナ禍の影響もあって、小・中学校の不登校率が高まっているという。

といっても、いじめや引きこもりによる不登校ではなく、どちらかというと「学校に行くことには意味がない」と気づいてしまった子どもたちの不登校が増えているようなのだ。

頭のいい子ほど授業はリモートだけで十分だし、スタディサプリといった学習補助アプリを使って、どんどん勉強を進められる。むしろそのほうが楽しい。「だったら学校に行く意味って何？」と気づいてしまったわけだ。

彼ら・彼女らは、普通の学校生活から「あぶれた」のではない。その枠に収まりきらないほどのポテンシャルが「あふれた」のだ。

実は、私は、かねて日本の小・中学校はすべて潰れてしまえと思ってきた。健やかな子どもの育成にとって、あまりにも不都合なところが多すぎるからだ。私に子どもがいたら、絶対に日本の小・中学校には通わせたくない。

そこへきて耳目に触れたニュータイプの不登校に、私は、今まで学歴偏重主義のなかで温存されてきた学校とは違う、新しい教育の可能性を見た気がしたのである。

学校という枠組みの中でなくても、学びの機会はいくらでも設けられる。たとえば、日中に子どもを預かるだけでなく、いろいろな種類の体験を子どもにさせる「体験型シッター」のようなサービスはどうだろう。

また、すでに各地にあるインターナショナルスクールも、従来の学校の枠組みを超えた教育現場と言える。もとは日本に住む外国人や帰国子女のためにできた学校だが、最近は国際的な教育機会を求めて、日本で生まれ育った生徒も増えているという。

インターナショナルスクールは、学校教育法の第1条で規定された学校、いわゆる「1条校」ではなく「各種学校」だ。したがってインターに通っている子たちは、公式には「不登校」と同じ扱いになる。

憲法で定められている「義務教育」とは「親が子どもに教育を受けさせる義務」を指し、これは必ずしも「1条校で学ばせること」を意味しない。従来の学校に子どもを縛り付けなくてはいけない法的根拠はないということだ。

従来の学校とは違う教育現場の実例は、まだある。

かのN高等学校は、開校から数年で、兄弟校のS高等学校と合わせて2万7000

人を超える生徒数を獲得している（2023年12月末時点）。

私の作ったゼロ高等学院も、N高ほどではないが、確実に生徒数を伸ばしているところだ。オンラインを活用し、座学だけではない体験型の学習を重視した海外水準の教育理念が、じわじわと認知されてきているのを感じる。

さて、こうした**従来の学校とは違う教育現場に期待したいのは、子どもたちの学力のほかに「行動力」と「コミュニケーション力」を伸ばすこと**だ。

これらの力を磨いておくと、自分の手に負えない危機のときには人に頼れるようになる。

実は、この「人に頼れる力」こそ、今後、ますます重要になってくると思うのだが、日本の義務教育は、まったく正反対のことを教えてきた。人に迷惑をかけるな。人に頼るのは情けないことだ。とにかく自分の力で何とかしろ——今もそうかもしれない。

だが、人は誰にも迷惑をかけずに生きることなどできない。これだけ不確実性の高い時代、複雑化した社会では、なおさらである。**人に頼り、迷惑をかけてもいい。いや、もっといえば人に頼り、迷惑をかけたほうがいい**のだ。

自分が誰かに頼る、迷惑をかける。その誰かもまた、ほかの誰かに頼り、迷惑をかける。そして自分も誰かに頼られ、迷惑をかけられる。助けられた人はありがたく思い、ひょっとしたら、助けた人は自己承認欲求が満たされることもあるだろう。

とりわけ現代の人間社会は、こうした「持ちつ持たれつ」で成り立っているのだ。そのことを自覚し、受容しなければ、充実した人生など送りようがないし、自分が生きる社会の発展に貢献することもできない。

従来の学校とは違う教育現場には、従来の学校とは違うロジックと理念がある。だからこそ、従来の学校ではついぞ子どもたちに授けることのなかった「人に頼れる力」、その基礎である「行動力」と「コミュニケーション力」を伸ばすこともできるのではないかと期待したいのである。

もはや「正解」を教える授業は無意味

従来の公教育のカリキュラムや教え方で、もっとも新時代に合わなくなっているところは何だろうか。

結論からいえば、それは「正解を教える教育」になっているところだ。

化学の元素記号、歴史的出来事の年号、世界的名著の作者、世界の国々の首都……などなど、単なる「知識」には、スマホで検索エンジンにキーワードを入れれば、誰でもすぐに辿り着ける。丸暗記した知識の価値は下がっているのだ。

これからは、さまざまな答えがありうる問題について、自分の頭で考える力をつける教育をしていかなくてはいけない。スマホですぐに辿り着ける知識を使って、自ら正解を導き出す力、といってもいいだろう。

さまざまな知識を頭に入れることは否定しないが、それだけではダメなのである。

現在、公教育は文部科学省が策定している「学習指導要領」に沿って行われている。県立や都立の学校だからといって、国の定めた要領から外れ、勝手に県独自、都独自の教育を施すことはできない。

学習指導要領は、「一定の水準」の教育を行き渡らせるために策定されているものである。

その理念に異論はない。しかし、その内容には大いに異論がある。時代の変化に従って「考える力」などにも重点が置かれるようにはなってきたが、私に言わせると、まだまだ「正解を教える教育をせよ」と言っているも同然なのだ。

だから、計算ドリルをひたすら解かせたり、化学の元素記号を「水平リーベ僕の船」といった語呂合わせで暗記させたり、といった教え方がなくならないのだろう。

しかし、これでは、子どもたちの知的好奇心は削がれるばかりだ。

機械的な反復、丸暗記ほど人の意欲を失わせるものはない。特に、先にも述べたように「知識があること」ではなく、「知識を使ってものを考えること」が求められる時代、苦痛しかない反復練習や暗記を強制する教育は、即刻、改められるべきなのだ。

学習指導要領を無視することはできなくても、教え方を工夫することなら、できるはずだ。

たとえば、元素記号を覚えさせる際にも、「リチウムは、スマホに必須なリチウムイオン電池にも使われている、とても身近な物質なんだよ」という情報を付加するだけで、子どもたちの目の輝きは変わってくるだろう。

知的好奇心が刺激され、学ぶ意欲が爆上がりし、授業にも熱心に耳を傾けるはずだ。単なる知識の習得であっても、知的好奇心がベースにあれば、それは自分の興味関心と結びついた知識として確実に「自分で考える力」につながっていく。

つまり、たとえ決められたカリキュラムがあろうとも、通り一遍に教えるのではなく、子どもに身近なものと関連づけ、関心を抱くように教えればいいのだ。そのためのツールはYouTubeでもゲームでも構わない。

また、本章で繰り返し述べてきたように、まずオンライン授業を導入するなど「学ぶ環境」の改革に先鞭《せんべん》をつける。そして「教える内容」については、基本的には学習指導要領を遵守しながらも、文部科学行政の中枢を動かすロビー活動を着々と進め、抜本的な教育改革を実現していく必要があると考えている。

ＡＩの助けを借りて子育てをする

新時代における新しい教育の1つの到達点として、私が考えているのは「ＡＩによる子育て」だ。

こんなことを言うと、「機械に子育てをさせるなんて、何の冗談か」と一笑《いっしょう》に付す人がいそうだが、私は大真面目だ。

自分に子どもがいたら、ぜひＡＩで子育てしてみたいと思うし、もしこの考えに賛同してくれる人がいたら、私から資金援助を申し出てもいい。それくらいＡＩは子育てに役立つと考えているのだ。

ＡＩは親や教師の力不足や時間不足を補い、子どもの学力や思考力の向上に大いに寄与するはずだ。将来的には、子どもが生まれたときから、その教育のいっさいをＡＩに任せることで、今までありえなかった高度な知性やユニークな感性が育つ可能性もある。

たとえば、子どもの耳に常時ＡＩイヤホンを付け、実生活の場面に応じた外国語の会話を流す。柔軟な子どもの頭脳なら、日本語と同時に自然と外国語も身についていくだろう。外国で暮らさなくても、他言語のネイティブ話者になれるわけだ。

もちろん、すでにあるＡＩも教育に役立つ。

ChatGPTのような生成AIならば、子どものいかなる知的欲求にもたちどころに応えてくれる。

ChatGPTの「知識量」は、言うまでもなく、学校の先生や親をはるかに凌駕する。もちろん語学も堪能だ。**生まれたときからChatGPTが身近にあるような環境で育った子どもは、10ヵ国語を平気で操るようなニュータイプになる**だろう。

AIが子育てに役立つのは、子どもに知識を授けるところだけではない。子育て世代にとって、「子どもをどこに預かってもらうか」というのは切実な問題だろう。

私のまわりにも共働き夫婦が多いのだが、学校に子どもを行かせたくないとなると、日中は誰かに面倒を見てもらわなければならない。子どもの面倒を見てくれるAIが一般化すれば、そういう親は大助かりだろう。

高性能な人型ロボットでなくても、おそらくは事足りる。

たとえば、AIカメラが常時監視し、トラブルが起きたときだけ警報が鳴って人が駆け付けられるようになっていればいい。危険なものさえ置いていなければ、必ずしも子どもたちの居場所に見守り役がいなくても大丈夫だろう。

このように、必要最低限の人員で子どもの居場所を運営できるようになれば、気軽に子どもを預けられる場所が増え、子育ては劇的に楽になるはずだ。

特に現在のChatGPTに音声合成技術も加わってくると、その恩恵を一番受けるのは幼児期の子どもと、その親かもしれない。幼児期の子どもにとって、生成AIは理想的な話し相手になるからだ。

急速に知的好奇心が育つ幼児期の子どもの質問攻めなど、生成AIにとっては、もっとも得意な分野である。親が忙しかったり、または多忙を口実にしたりして逃げ出すような素朴な質問にも、生成AIなら完璧に対応してくれる。

たとえば「どうして雲は白いの？」と子どもに聞かれて、きちんと答えられる自信のある親は、どれほどいるだろうか。大人の頭で科学的な理屈は理解していても、子どもにわかるように説明できるだろうか。

そんなときこそChatGPTの出番だ。

「なんで雲は白いの？　小さな子どもでもわかるように教えて」と投げかけると、瞬

子どもを多方面からサポートするAI

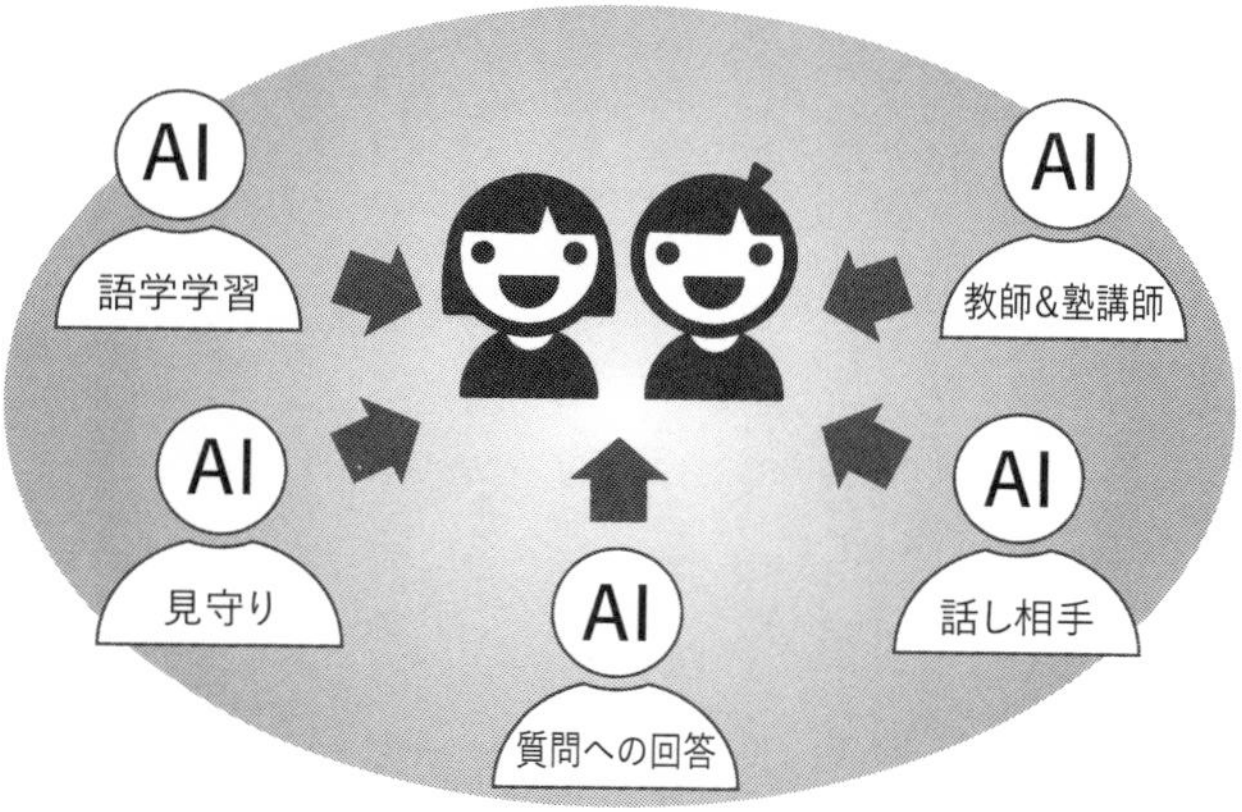

時に、こんな答えが生成される。
「ねえ、雲が白い理由はちょっとした魔法みたいなものなんだよ！　太陽の光が雲に当たると、その中の水や氷の小さな粒が光を反射するの。そのせいで、雲の中が光でいっぱいになっているように見えて、それが白く見えるんだ」
しかも回答は一度限りではない。わかりづらかったり、理解できないところがあったりしたら、「もっと簡単な言葉で」「ここはどういうこと？」と重ねて投げかけると、どんどん生成のレベルが上がっていくのだ。もちろん、どれだけ質問攻めにしても、人間のように嫌がったり面倒くさがったりすることなく、生成ＡＩは答えてくれる。

偏見のない子どもなら、こんな親切な生成ＡＩとすぐに仲良くなるだろう。親や先生からは得られない知的体験を繰り返すことで、すくすくと知力が伸びる可能性も高いと言える。

いかがだろうか。ことほどさように、ＡＩによる子育ては未知の可能性にあふれている。

これからの時代、**子育ては親だけで行うものでも、親と社会で行うものでもなく、AIの力を借りながら行うものになっていけばいい**と思う。それが結果的に、安全に子育てをしながら、子どもの可能性をもっとも伸ばすことにつながると私は考えているのだ。

第5章

量子コンピュータと核融合で日本の未来を拓く

世界を変える量子コンピュータ

まだまだ一般化されるまでの道のりは長いと思われるが、目下、専門家の間で話題になっているのは「量子コンピュータ」である。ここではビジネスの文脈で、その可能性を探ってみたい。

量子コンピュータとは、一言で言えば、原子や分子より小さい世界を扱う量子力学の原理を計算に応用したコンピュータだ。従来のコンピュータでは容易ではない複雑な問題の解決を可能にすることが期待されている。

これだけ言われてもどういうことかわからないし、何の役に立つのかも皆目見当がつかないという人が大半だろう。

暗号化技術の1つに、異なる特徴を持つ「暗号化鍵」と「復号鍵」を用いるものがある。

そこでは情報を暗号化する暗号化鍵は「公開鍵」、暗号を解く復号鍵は「秘密鍵」

古典コンピュータと量子コンピュータの違い

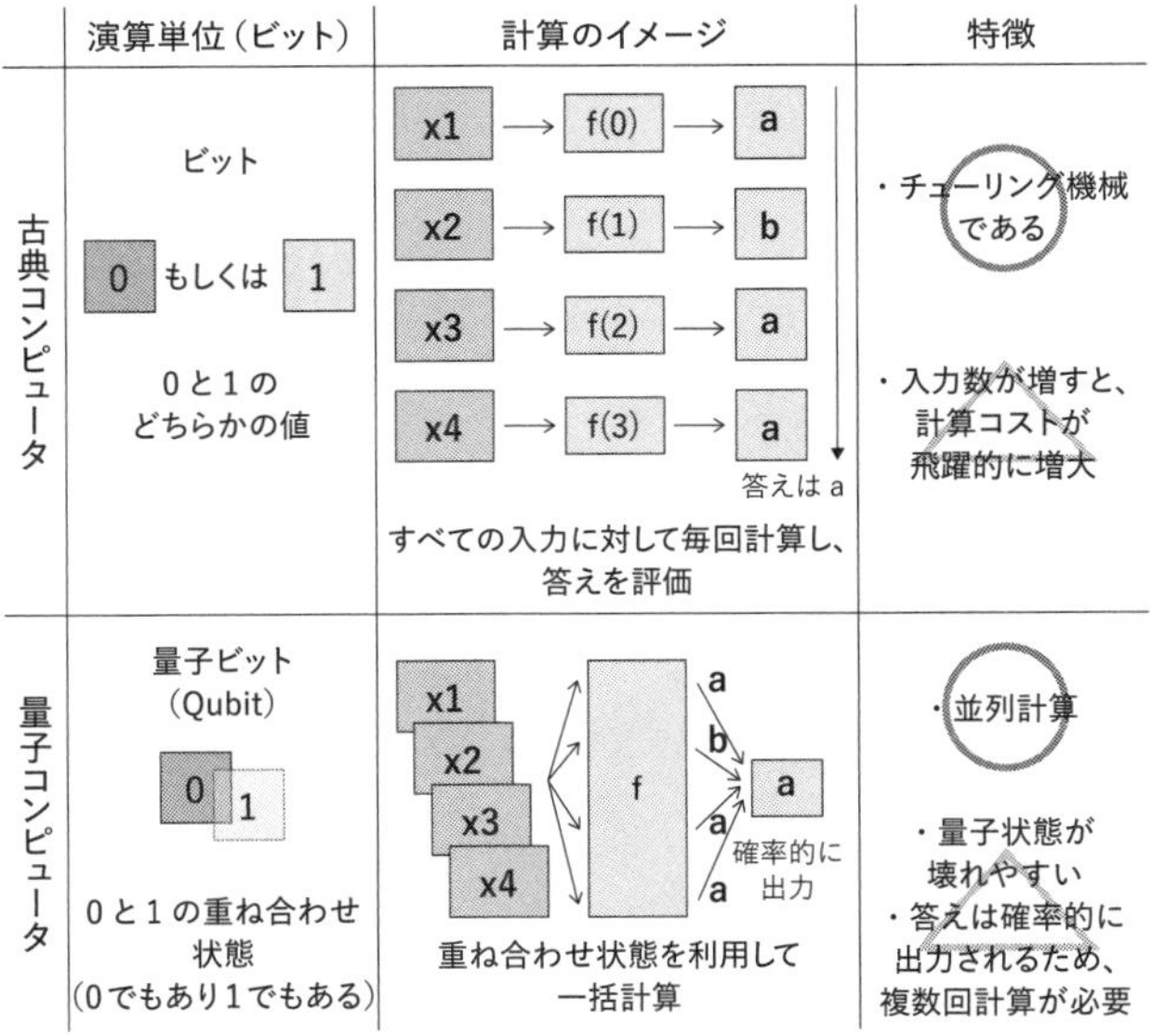

出典：野村総合研究所「用語解説　量子コンピュータ」より

公開鍵暗号方式の仕組み

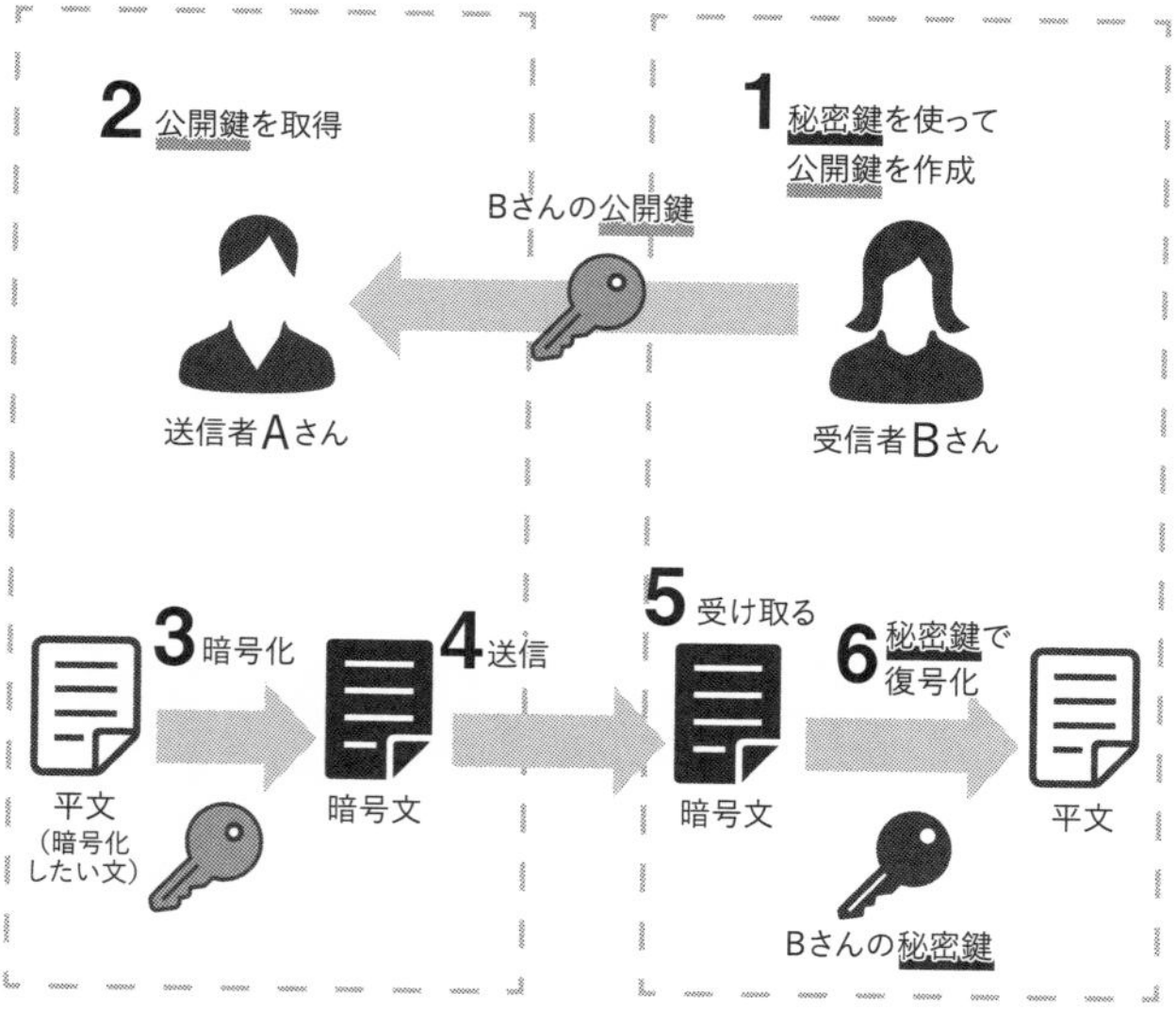

出典：Udemyメディア「公開鍵暗号方式とは?初心者でもわかる公開鍵暗号方式の基礎」（2019年2月26日公開）より

で、情報の送信者は受信者の公開鍵を使って暗号化し、それを受信者は秘密鍵を使って復合する、という要領で暗号化と復号が行われる。これを公開鍵暗号方式と呼ぶ。公開鍵は秘密鍵（n）に、ある特殊な計算（nG）を施すことで生成される。そこでは楕円関数を用いた「楕円曲線暗号」という公開鍵暗号方式が使われるのだが、これは、秘密鍵に施される計算は簡単に求めることができる一方、秘密鍵そのものを求めるのはきわめて難しいとされる。

このように一方向性があるため、暗号の解読が不可能になるわけだ。

ところが、組み合わせ数の多い複雑な計算を並列、かつ超高速で行うことで、こうした方法で作られた暗号を容易にクラックできてしまう可能性を持つものが、現在、開発途上にある。それが量子コンピュータだ。

量子コンピュータでは、「組合せ最適化処理」を精度高く、かつ高速で実行する「量子アニーリング（**量子焼きなまし法**）**」という計算技術が注目されている。**「組合せ最適化処理」というのは、膨大な数の組み合わせから最適なものを導き出すということだ。

その計算技術を使って、ある特定の問題については汎用型の量子コンピュータより

量子アニーリングが活用できるシーン例

活用可能なシーン	応用可能な産業
● 巡回セールスマン問題	● 農業
● シフト勤務計画	● 工業
● 集積回路設計	● 商業
● 経営戦略立案	● 情報

出典:slideshare「量子アニーリングのこれまでとこれから ― ハード・ソフト・アプリ三方向からの協調的展開 ―」(田中宗氏、2017年5月10日公開)より

も速く解ける、いわば「問題特化型」の量子コンピュータも開発されている。たとえば、カナダのディー・ウェイブ・システムズが開発している量子コンピュータや、IBMの「IBM Cloud」で試せる量子コンピュータは、おそらく、このタイプだろう。

その用途はさまざまだ。たとえば、交通渋滞の回避や、薬の化学反応のシミュレーションのように無限の組み合わせがある問題を解く際に、量子コンピュータならば瞬時に最適解を導き出せる。

先にも述べたが、こうした**天文学的な数字の組み合わせを、超高速で並列処理できることが量子コンピュータの最大の強み**

だ。したがって、まずは限られた現場で実用化され、広くビジネスにも活用されるようになるのは、もっと先のことになるだろう。

しかし、まだ先のこととはいえ、策を講じておかねばならないことがある。先ほど説明した楕円曲線暗号は、現在、もっとも一般的な公開鍵暗号方式であり、電子商取引などにも使われている。そして、量子コンピュータは、その高度な処理能力により、暗号の解読を不可能たらしめている公開鍵暗号方式の一方向性を破壊できてしまう。

つまり、こういうことだ。現在、電子商取引に用いられている暗号方式は、量子コンピュータに対して脆弱である。量子コンピュータが世に出たら、電子商取引をした私の口座情報などの個人情報も、あなたの口座情報などの個人情報も、量子コンピュータの使い手によって丸裸にされる可能性がある。

「ビットコイン」をはじめとするデジタル通貨のベーステクノロジーとして安全性を担保している「ブロックチェーン」も、量子コンピュータの前では無力だろう。

そこで現在、研究開発が進められているのが、「耐量子暗号」である。字面が示しているとおり、これは量子コンピュータに対して「耐性」のある暗号――もし解読されてしまうとしても、かなり時間がかかる暗号だ。

量子コンピュータには世界を一変させるパワーがある。どの国の研究機関が先陣を切るかによって、世界の勢力図が変わってしまう可能性すら見える。まだ開発途上にあるとはいえ、いずれ世に出る日が来ることは間違いないから、みな注視していくべきだ。

核融合技術なくして日本の発展はありえない

エネルギー源は、地球上に限られた量しか存在しない枯渇性エネルギー源と、おそらく地球が存在する限りなくならない再生可能エネルギー源に大別される。前者は、石油、石炭、天然ガス、核燃料物質ウランなど。後者は、太陽熱、風力、地熱、水力などである。

枯渇性エネルギーは、その名のとおり、いつか枯渇する運命にある。ならば再生可能エネルギーに完全シフトすればいいかというと、そういうわけでもない。現代の莫大なエネルギー消費を安定して賄うには、再生可能エネルギーは弱すぎるのだ。

ではどうしたら、エネルギー枯渇問題を解決できるのか。

その道の1つとして考えられるのが核融合だ。**核融合技術を使うと、海水から得られる燃料で発電できるため、実質、無尽蔵のエネルギーを獲得できる**ことになる。以前、対談させていただいた核融合の専門家も、そう話していた。

この核融合技術こそ、日本の新たなる発展には欠かせないと私は考えているのだ。

核融合の「核」の一文字に大きな不安を抱く人は多いと思う。

しかし核融合は、核兵器や原子力発電に用いられている「核分裂」とは別ものだ。高レベルの放射性廃棄物、つまり何万年も管理しなければならない有害廃棄物も出さない。

ぜひここで正しい知識を身につけ、日本再生の切り札の1つとなるかもしれない核融合技術の可能性を知ってもらいたい。

核融合とは、原子核を融合させることで原子核のエネルギーを取り出すこと。この

核融合反応と核分裂反応の違い

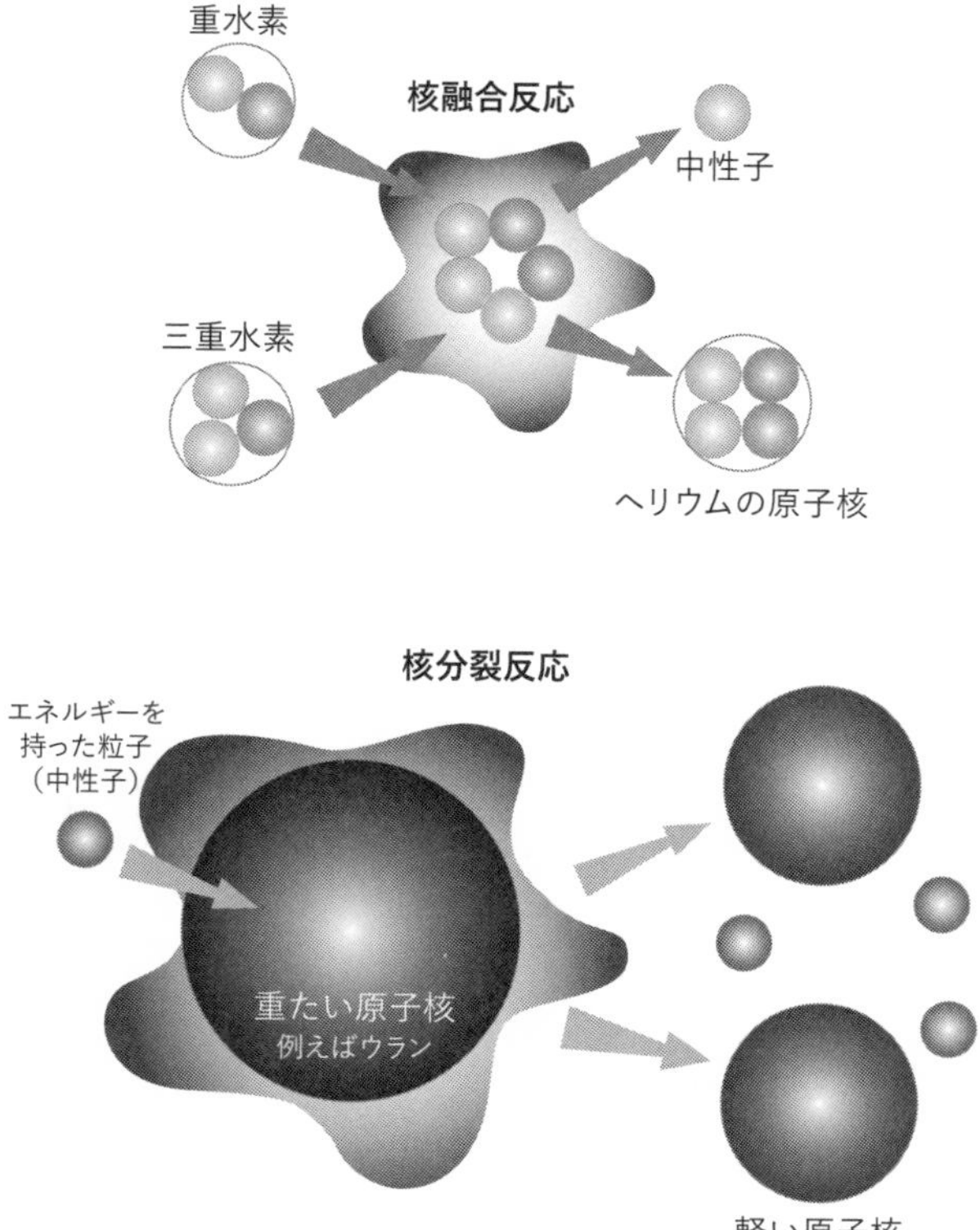

出典：核融合科学研究所（NIFS）「かくゆう合反応って？」「かくゆう合発電と原子力発電はどうちがうの？」より

反応を利用して発電するのが、核融合発電だ。

原子核には、簡単に言うと「軽い」ものと「重い」ものがある。重い原子核は「分裂」するとエネルギーを放出する。ここで人体にきわめて有害な放射性物質も発生する。これが核兵器や原子力発電で用いられている技術だ。

一方、軽い原子核は、互いに「融合」し、より重い原子核に変わることでエネルギーを発する。ここでは人体に有害な放射性物質は発生しない。

核融合発電の一番のお手本は、実は太陽だ。太陽の75%は水素であり、それが重力によって圧縮されてヘリウムとなる核融合反応により、あの甚大なエネルギーを発している。核融合発電の実用化とは、極端にいえば、地上に太陽を設置するようなものなのだ。

人間がやろうとしている核融合発電では、重水素と三重水素を融合し、より重い原子核であるヘリウムに変化させることでエネルギーを得る。

原子核に「1つの陽子」と「1つの中性子」を持つ重水素と、原子核に「1つの陽子」と「2つの中性子」を持つ三重水素が融合すると、原子核に「2つの陽子」と「2

つの中性子」を持つヘリウムに変化し、中性子が1つ余る。この中性子をブランケットで受け止めて熱に変えるのだ。

先ほど「海水から得られる燃料で発電できる」と述べたが、それは、海水に含まれる重水素のことだ。

三重水素の供給源は限定的であり、供給網が構築されたうえでないと長期にわたる実用化は難しいとされている。

だが、裏を返せば、それさえクリアできれば長期にわたる実用化が可能という点にむしろ期待したい。三重水素は重水炉や核融合炉の副産物として発生するので、核融合発電が実用化されれば、これらの炉からの「自己調達」が可能になる。

核融合発電は、まだまだ開発途上であり、課題もある。

たとえば融合炉内で長時間、高温で熱せられ、プラズマ状になった原子たちが暴れて容器が壊れないようにするには、どうすればいいか。現在「トカマク型」「ヘリカル型」「レーザー方式」の3種の融合炉が検討されているが、一番安全性と安定性が高いのはどれか。

核融合炉には複数の種類がある

トカマク型（磁場閉じ込め）

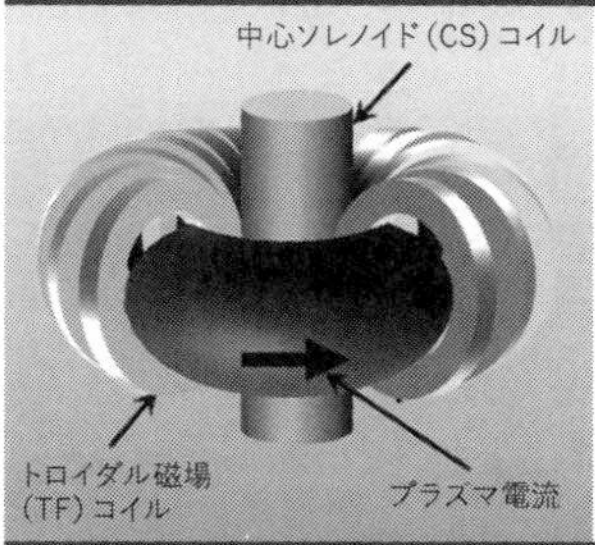

○TFコイルが作る磁場と、プラズマ電流が発生させる磁場を重ね合わせ、ドーナツ状のねじれた磁場のかごを形成
○閉じ込め性能が高く、核融合反応に必要な条件のプラズマ生成に成功⇒ITERで採用
○プラズマ電流はCSコイルや加熱装置により発生⇒プラズマの安定性に課題
○日本は、JT-60でイオン温度5.2億度（世界記録）達成など、世界レベル

（核融合実験炉ITER〈ITER機構〉
大型トカマク装置JT-60SA
（国研）量子科学技術研究開発機構）

ヘリカル型（磁場閉じ込め）

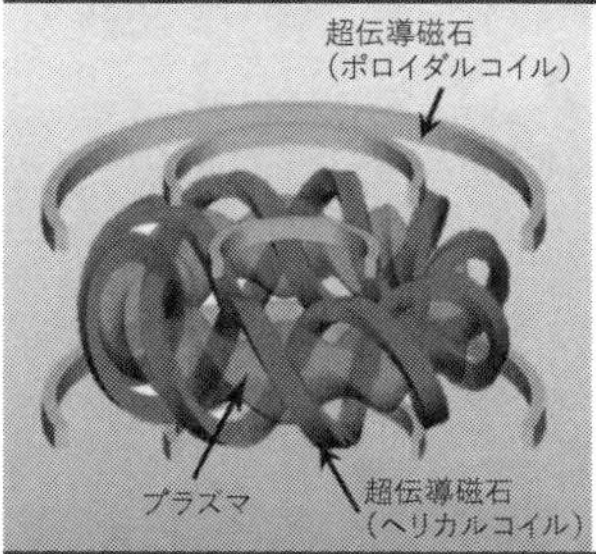

○ドーナツ状のねじれた磁場のかごを作るためにねじれたコイルを使い、プラズマ電流を必要としないことが特徴
○プラズマの安定性に優れ、長時間運転に優位性⇒LHDによる正常運転（約1時間）は世界記録
○プラズマはコイルに沿ってらせん状になる⇒粒子が飛び出しやすく、閉じ込め性能に課題

（大型ヘリカル装置LHD
（共）核融合科学研究所）

レーザー方式（慣性閉じ込め）

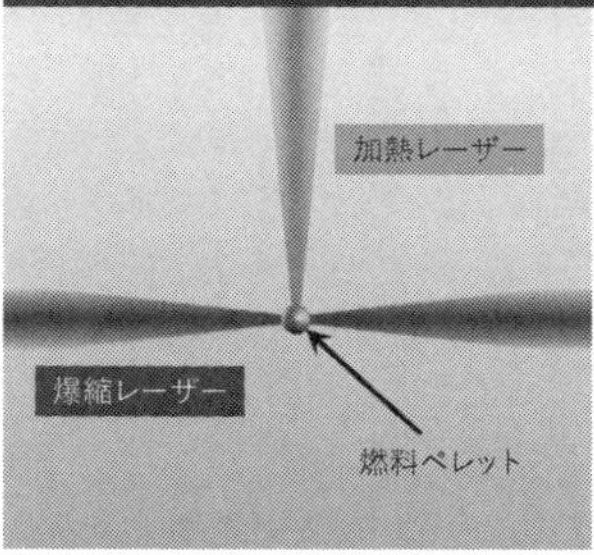

○燃料ペレットをレーザーで瞬時に加熱・蒸発させ、中の燃料に爆発的な圧力をかける爆縮という現象を発生
○閉じ込め時間は燃料プラズマが慣性によりその場に留まるほんの一瞬であり、その間に核融合反応を起こす必要あり
○レーザーの効率向上や、大量のペレットに順次レーザーを精密に照射し続けること等が課題

（激光XII号・LFEX
大阪大学）

出典：文部科学省「核融合研究」より

また、中性子というのは非常にエネルギーが高いため（だからこそ核融合発電に期待したいのだが）、核融合炉に用いる材料は、その中で発生する中性子が触れても大丈夫なものでなくてはいけない。その選定にも時間がかかっているという。

しかし、これらの課題は、核融合発電の研究そのものを止めてしまうような致命的なものには思えない。慎重に検討と実験を重ねれば、きっと解決できる。そのために、研究者のみなさんも日々、心血を注いでいるのだ。

核融合発電が実用化されれば、世の中は確実に変化する。エネルギーをいかに安価に取り出すかということが、人類の文明発展の礎になっているからだ。特に**資源に乏しい日本にとっては、核融合発電がゲームチェンジャーとなる**だろう。

ただし、それだけ期待がかかる発電技術であるだけに、すでに世界では核融合をめぐる熾烈な競争が繰り広げられている。量子コンピュータ同様、どこの国の研究機関が実用化の先鞭をつけるかで、世界の勢力図も変わってくるだろう。

たとえば、アメリカのＭＩＴ（マサチューセッツ工科大学）から生まれた「コモンウェルス・フュージョン・システムズ」は、非常にレベルの高い研究者と、自国の大富豪たちの寄付による潤沢な資金を併せ持つ強豪だ。

また、常に世界の覇者となることを狙っている中国が、核融合技術に注目していないはずがなく、油断ならない。その他、ＥＵや中央アジア圏もライバルだらけだ。

日本も、この国際競争の一角に食い込んでいかなくてはいけない。

そのためには、さまざまな分野の技術を結集させる必要があるが、単に技術力が高いだけではダメだ。最終局面で他国にかっさらわれてしまうだろう。

しっかりエネルギー産業として成立させることを見据え、実用化を目指して技術開発を進めていくべきだ。核融合の専門家と話すと、実用化はかなり近いように感じられる。日本にも十分に勝ち目はある。

AIをフル活用するにも核融合が必要

第１章で、私はＡＩの可能性について述べた。さまざまな可能性を探ってきたが、万能に見えるＡＩにも難点はある。ＡＩの能力を最大限に高め、最大限に活用するには、大量のエネルギーが必要なのだ。

エネルギー効率に限って言えば、人間の脳のほうがずっと効率がいい。しかし生物は、体内で無限にエネルギーを産生し、使えるようにはできていない。

一方、ＡＩは、エネルギー効率こそ悪いが、エネルギー供給さえあれば、ずっと最高のパフォーマンスを発揮することができる。つまり、**エネルギー供給の限界がなくなれば、AIは人間を超えた人間、スーパーヒューマンになれる**のだ。

では、どうしたらＡＩのエネルギー供給問題を解決できるかといったら、私は、やはり核融合が欠かせないと思う。核融合発電には、まだいろいろと課題があることは前項で述べたとおりだが、向こう10年もあれば解決できるのではないか。

それまでの間に、さしあたって検討したいのが、**小型の原子炉を海上に浮かべる**ことだ。

東日本大震災における福島第一原発の事故の記憶が癒えていない多くの人は、とっさに「危ない」と思うかもしれない。

しかし表面積が小さい小型原子炉ならば、大型に比べて素早く冷却できる。つまりメルトダウンを起こしづらい。そもそもあたり一面、海なのだから、冷却水の供給は手間なく行え、量的にも困りようがない。私の構想では、その小型原子炉を公海上に浮かべるのだ。

夢物語ではなく、実現する方法も頭にある。まず、かつて海上からロケットを打ち上げていたシー・ローンチという企業から石油掘削のリグを買い上げる。それを公海に運んで設置し、小型原子炉を搭載する。原子炉からの送電には、海底の送電ケーブルを使う。

こうすれば、原子力エネルギーというリーズナブルなエネルギーを、安全に、かつ無尽蔵に得られるようになる。それがＡＩをエネルギー供給問題から解放し、スーパーヒューマン化させることにつながっていく。このようにＡＩの知性がローコストで運用可能となれば、ＩＴ革命の比ではない大きな変化が次々と起こるだろう。

第 6 章

飲食文化で世界を魅了する

個性とエンタメ性でずば抜けた店が勝つ

飲食店を展開しようというとき、材料や手間をできるだけ抑えて「安さ」を売りにする場合がある。その一方で、多少、値は張ってもオリジナリティあふれるメニューや売り方で勝負しようというやり方もある。

私の考えでは、「薄利多売」しかない無個性な店はつまらない。それよりも**個性やエンタメ性を売りにした店のほうが、やっている側も楽しいし、結果的に同業他社に勝てる**のではないだろうか。

第1章でも触れたが、北海道広尾郡大樹町にある「小麦の奴隷」は、私が発案した地方活性型ベーカリーブランドである。名物「ザックザクカレーパン」が「カレーパングランプリ2020」で金賞を受賞したこともきっかけとなって人気を博してきた。

現に全国に拡大中であり、2023年末までに約50店舗が新規出店した。カレーパン以外にも、地元食材を使用して作られたオリジナリティあふれるパンは、開店初日には長蛇の列ができるほど有名になっているのだ。

２０２１年には「全国！　小麦の奴隷プロジェクト」を新たに始動させ、地方都市での開業支援を始めた。

北海道広尾郡大樹町は、人口約５４００人（２０２０年）の小さな町である。「全国！小麦の奴隷プロジェクト」でも、人口５万人以下の都市での出店を対象にしている。機材の一部をレンタルにすることで、出店時にかかるコストを最小限に抑え、経験や集客のノウハウがなくても店をやっていけるよう、サポート体制も万全だ。

また、同プロジェクトは、地方のホテル内にテナント出店したい人も対象にしている。ホテルの了解を得る必要があるが、独自の設備や電源を導入できれば、「小麦の奴隷」のパンがホテルの朝食として提供されるときも来るだろう。

地方再生の必要性が叫ばれながら、東京への一極集中はまったく改善していない。そんななか、あふれる個性で人気を呼ぶ「小麦の奴隷」の出店数が地方で増えれば、町や人々が活気づき、地方再生の１つの推進力になるだろう。

飲食業は、今後、まさしく個性とエンタメ性で売る時代になる。

2016年に私が立ち上げに関わった焼肉店「WAGYUMAFIA」も、エンタメ性が売りである。完全会員制で客単価は5万円と高額だが、多くの顧客、特にリッチな外国人客を獲得している。

希少な和牛を主とする最高の食材、最高のサービスはもちろんだが、もう1つ、人気の秘密として挙げられるのは、スタッフ一同が発声する「いってらっしゃい！」である。

「スタッフ全員で言う」というのがポイントだ。

劇団四季を見に行く客は、1人の役者を目当てにして行くのではない。「劇団四季」というブランド、その総体として見せるパフォーマンスを楽しみに行くのだ。「WAGYUMAFIA」も同じである。

飲食店のお客が店を選ぶ理由が、1人の料理人にあるとは限らない。スタッフ一同で「いってらっしゃい！」と声を合わせるのは、「WAGYUMAFIA」というブランド、その総体として見せるパフォーマンスを楽しんでもらうためなのである。

こうした「エンタメ飲食店」の好例を、もう1つ挙げておこう。

北九州にある「照寿司」は、「WAGYUMAFIA」と共同イベントを行い、お互い最高の売り上げを記録したことのある寿司屋である。

その照寿司のエンタメ性がずば抜けているのだ。

32キロの巨大なクエの解体ショー、酢飯を鰻で挟んだ「鰻バーガー」、大きなクルマエビの腹に酢飯を詰め込んだ「ホットドッグ」など、客を楽しませることに徹している。今では世界に名が知れ、外国人客も増えているという。

飲食店は「味」が命。これには私も異論はない。しかし、「味だけ」が命なのではない。

たしかな味、たしかなサービスで外国人観光客の心を鷲掴みにしている日本の飲食店だが、そこにエンタメ性が合わさったら無敵だ。「おいしいだけでなく、楽しい」――そんな飲食店が増えれば、日本の飲食業が今まで以上に盛況となるのは間違いないだろう。

ライブコマースで新たな可能性を開拓

コロナ禍は日本の飲食業に大きな打撃を与えた。「WAGYUMAFIA」も例外ではない。特に外国人の顧客を多く持つ「WAGYUMAFIA」にとって、インバウンドが途絶えたのは痛かった。

そんな状況においても一筋の光となったのが、エンタメである。

店は休業を余儀なくされたので、場所と時間が余る。そこでいろいろなことを試みたのだが、なかでも一番盛況だったのが、私が軽快なトークをしながら自ら磨いた肉を売る、というライブコマースである。

「肉を磨く」とは、肉の筋膜に沿って包丁を入れ、肉から脂肪や筋を取り除いて、食肉として完成させることを言う。

「WAGYUMAFIA」でも扱っている「尾崎牛」は、その名の通り尾崎《おざき》さんという方が育てた最高品質の牛肉だ。その尾崎牛を、私が自分の包丁でどんどん磨いていく。部位ごとの解説つきだ。試しにやってみたら飛ぶように売れたので、何度も開催した。品質が保証されていることも好評につながったのだろう。

たとえば「ハラミ」と呼ばれる部位は牛の横隔膜だ。横隔膜は内臓で、食材としては「ホルモン」であるため、通常は、切り分けられたとたんに他のホルモンと一緒にされて銘柄がわからなくなってしまうのだ。

しかし私が磨いたハラミは違う。カメラの前で、尾崎さんから一頭買いした尾崎牛に自ら包丁を入れ、切り出したハラミなのだ。間違いなく「尾崎牛のハラミ」であり、値が張っても売れたのである。

また、「タン」は、通常だとハラミ以上に銘柄がわからなくなってしまう部位でもある。

現に「和牛専門」を謳っていても、タンだけは外国産という店は少なくない。黒毛和牛のタンは黒く、ホルスタインのタンは白いという違いがあるのだが、皮を剥《む》かれていると見分けがつかないのである。

尾崎牛を磨いて売るライブコマースでは、タンも扱った。

よく磨いた尾崎牛のタンは、シチューなどにしてはもったいない。スライスしたものをさっと焼いて食べると極上である。タン下、タン先、タン元などいろいろな部位があり、それぞれ味わいが違う――。

こうしたトークを入れながら肉を磨いていると、視聴者から質問が飛んでくることもあり、それもライブ感あふれるパフォーマンスにつながった。

ついでに私が使用している包丁について語ったら、その包丁までが売れる。それほどの大盛況だったのだ。私自身も非常に楽しませてもらった。

もし、味だけで勝負する店をやっていたら、こういうパフォーマンスは思いつかなかったかもしれない。客を楽しませること、エンタメ性をも重視してきたことが、はからずもコロナ禍という一大事のなかで1つの救いとなったのだ。

「日本の美味すぎるフルーツ」が世界を席巻する日

売り物が何であれ、おしなべて日本人はマーケティングが得意ではない。「いいものを作れば勝手に売れていく」と鷹揚に構えているところがある。そんなことだから、のんびりしている間に海外勢にシェアを奪われてしまうのだ。

フルーツにしても、種や苗木が不正に海外に持ち出される例が頻繁に発生した。もっとも、2021年に改正種苗《しゅびょう》法が施行され、刑事罰も科されることになったから、こういう事態も回避されることになるだろう。

それ以前に、そもそも作物の出来は土壌や気象条件に大きく左右される。いくら日本の果物の種や苗を盗んでも、日本産と同様の出来栄えにはならないはずだ。種さえあれば、苗さえあれば再現できるというほど単純なものではないのだ。

とりわけフルーツの生育にもっとも強く影響するのは「水」である。

豊かな水源から、文字どおり湯水のように供給されている水があればこそ、日本の果物は豊かに、なおかつ美味しく実るのだ。世界には水資源に乏しく苦労している国も多いことを考えれば、本当に日本は環境に恵まれている。

ともあれ、海外勢に種や苗を盗まれる事例が頻出したのは、見方を変えれば、日本のフルーツは、それだけクオリティが高いことを物語っているとも言える。

豊かな水資源によって生まれた日本食という宝

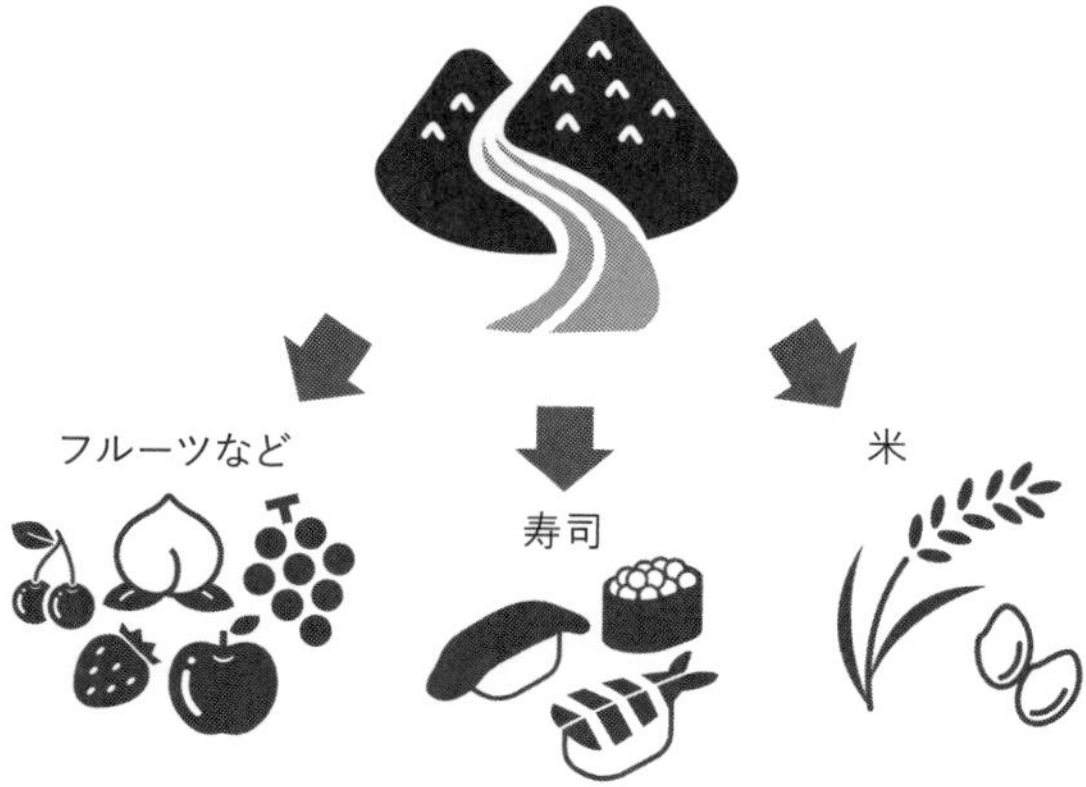

これは私自身の実感でもある。

以前、ある芸能事務所から届いたスイカは見事だった。ものすごく大きなスイカだったが、まったく水っぽくはなく、実がギュッと締まっていた。非常に甘くて美味しかった。

また、同じころ、ある経営者が送ってくれた国産ライチの美味しさも衝撃的だった。そのジューシーな味わいは、これまで食べていたものが「ライチみたいな別の果物」だったのかと思わせるほどだった。日本の美味しい果物は、「日本原産の果物」だけではないのだ。

岩手県に行ったときに買ったサクランボの佐藤錦も、あまりの美味しさに手が止まらなかった。ついでのように、大して期待せず買ったブルーベリーも、思いのほかレベルが高くてびっくりした。

その他、リンゴにナシにブドウにイチゴ……新鮮で美味いフルーツを、優れた栽培技術と、国中に張り巡らされた流通網のおかげで、産地から離れた東京でも食べることができる。日本に暮らす私たちは、何と贅沢な暮らしをしていることか。

この贅沢を日々味わっていると自覚しづらいが、日本のフルーツのクオリティは間違いなく世界トップレベルだ。イチゴの「あまおう」やマスカットの「シャインマスカット」などに至っては、海外の富裕層が、どんなに高くても飛びついてくる。

日本の高級フルーツは、すでに世界を席巻しつつある。現に、野菜と果実の輸出額は着々と増え続けており、2020年には過去最高の453億円に達した。この数字はさらに大きくなっていくに違いない。

その「広告塔」として期待できるのが、日本に大勢押し寄せているインバウンドである。

コロナ禍という難局を越え、ようやく蘇りつつあるインバウンドが、日本各地で特産の果物と出会う。その美味しさに驚き、自国でいろんな人に話す。こうして国外からの訪問客の口コミを通じて、日本の果物の素晴らしさがいっそう世界中に認知されていく。

実際、2021年、東京オリンピックの折に来日したソフトボールのアメリカ代表監督は、福島の桃を「デリシャス！」と褒めたたえ、6個も平らげたという。こういうことが日本の至るところで起これば、「日本のフルーツは美味い！」という声が世界中に轟《とどろ》くだろう。

これは、とかくマーケティングが下手くそな日本人には朗報である。せっせと美味い果物を作り、それをインバウンドが食べ、世界に宣伝してくれるのだから。流通網や貯蔵施設、販路が整えば、日本産フルーツが世界の高級スーパーに並ぶようになるだろう。

そうなると、私たち日本に暮らす人々が日本産の高級フルーツを食べる機会は、みるみる減っていくかもしれない。しかし経済的に見れば、日本産フルーツが世界中に輸出されたほうが、日本は外貨を稼げる。フルーツ農家も儲かる。

もっとも、少し形が悪いとか、少し虫食いがあるなどの規格外のフルーツは輸出されないはずだ。それだって味は変わらない。

あと、日本産の「普通のフルーツ」だって、びっくりするくらい甘くて美味しいのだから、そもそも「あまおう」だの「シャインマスカット」だの、そこまでブランドフルーツにこだわる必要もないのではないか。

というわけで、私たちは「規格外の高級フルーツ」や「普通の美味しい果物」を比較的リーズナブルな値段で買って食べ、規格内のピカピカの高級フルーツは外国のお金持ちに高く買ってもらうとしよう。

「日本式・美味いもの技術力」で勝負できる

日本の美味いものは、おしなべて、高い技術に支えられていると思う。**ただただ美味いものをつくる、そのために並々ならぬ努力を続けることができるのが、私たち日本人のDNA**といってもいいのかもしれない。

前項で述べたフルーツにしても、世界の富裕層を夢中にさせるほど美味い高級フルーツは、度重なる品種改良の努力の賜物だ。

背景として豊かな水源など環境に恵まれているのは大きいが、より美味いフルーツ作りにかける生産者の熱い想いと努力なくしては生まれ得なかった。

日本を代表する食文化、寿司もそうである。

第2章でも触れたとおり、日本には伝統的に優れた製鉄技術がある。それはかつて日本刀の製造に用いられ、さらには包丁にも生かされた。

角がシャキッと立っているような魚の切り身は、よほど切れ味のいい包丁でなくては作れない。優れた製鉄技術から生まれた切れ味のいい包丁は、魚を切る技術の向上につながり、その結果、生魚の切り身を使った「生寿司《きずし》」が生まれたのだ。

もちろん、その背景には、日本は豊かな海に恵まれており、多種多様な魚介類が獲れることがある。

この2点をもって、日本の寿司は文化として育ったのである。どれほど豊かな海が育んだ海洋食材に恵まれていても、魚を切る技術と、それを支えた製鉄技術がなくては、寿司という食文化の発展はなかっただろう。

高級フルーツ然り、寿司然り、豊かな自然環境に高い技術力が合わさったときに、日本人は、とんでもなく美味いものを生み出すのだ。それが世界でも十分に勝負できる巨大コンテンツであることを、日本人自身は、どこまで理解しているのだろうか。

マグロを赤身、中トロ、大トロという具合に部分別に切り分ける技術は、実は、カルビ、ロースなどと肉が細かく切り分けてあるスタイルの焼肉に引き継がれている。

焼肉は焼肉でも、肉を部位別に切り、焼いてからタレをつけて食べる焼肉を「日式《にっしき》焼肉」という。つまり日本特有のものなのだ。私はこの肉文化も、早晩、世界に広まっていくと見ている。

たとえばアメリカに行くと、判で押したようにステーキやハンバーグしか出てこない。

多少は部位別になっているが、日式焼肉の細やかさの足元にも及ばない。日本人は、肉を細かく切り分けることで、部位別の美味さを味わうことを知っている。そういう付加価値を海外の人が知ったら、きっと驚嘆するだろう。

私たちにとってすでに当たり前になってしまっているが、先ほども述べたように、高い技術力に支えられて発展してきたのが日本の食文化なのだ。

そんな「日本式・美味いもの技術力」は世界随一のものであり、もっとしっかり対外的にアピールできれば、今後ますます世界を圧倒していくだろう。

AIが寿司職人を脅かす？

寿司といえば、やはり寿司職人の腕次第だ――と思う人もいるだろう。はたして本当にそうなのか。私は少々冷静に見ている。たしかに目の前で大将が握ってくれる様を見るのは楽しい。鮮やかな手さばきに惚れ惚れすることもある。

一方、寿司を握るロボット「シャリマシーン」なるものが登場し、寿司職人を脅かしつつあるのも事実なのだ。マシーンに、あの職人の繊細な手仕事を真似できるわけがないと思ったかもしれないが、そう一概には言えない。

シャリマシーンだと、シャリの温度や大きさをボタン1つで選べる。

また、ひと世代前のソフトウェアの時代にはできなかったことが、ニューラルネットワーク（脳の動きに即して処理するように指示する人工知能）を模したディープラーニング（機械学習技術）の仕組みができたことで可能になっている。

始まりは1980年代だ。その段階で、ある程度、原始的な回路はできていた。当初は郵便番号の認識だったが、そこから急速に進化した。コンピュータのリソースを大量に使って、これまで蓄積されてきた大量の画像や映像のデータをAIに入れ込む。そのデータをもとにAIは最適と思われる答えを導き出すのである。

囲碁や将棋で人間にAIが勝つようになったのも、その結果である。膨大な過去のデータをもとに、AIは、あれこれ比較しながら「勝てる手」を導き出すのだ。それを数秒でやってしまうのだから、人間は勝てなくなって当然だろう。

こうした昨今のAIの進化度合いを考えれば、寿司ロボットに職人顔負けの絶妙な握り方をさせるくらい、すでに技術的には可能なのではないだろうか。ならば最高の寿司を、しかも疲れることなく、文句も言わず、長時間にわたって握り続けてもらうことができる。これは経営サイドから見た話だが。

今、先進的なチェーン寿司店などは、寿司ロボットにリソースを投下し、それで本当に利益率を上げることができるのかを見極めている段階だろう。

そこで「ロボットでも問題なし」という判断になれば、すぐに導入されるだろう。**日本の寿司文化を支えてきた立役者である寿司職人だが、ひょっとしたら、寿司ロボットに凌駕されて失職の危機に直面することになる人が続出する**かもしれない。

第 7 章

地方創生で日本の活力を蘇らせる

脱・東京一極集中！　地方に人を呼び戻せ

東京の人口過密状態は、過酷といってもいいほどである。街に出れば往来の人々とぶつからないよう気をつけねばならず、電車に乗れば見知らぬ人と至近距離になる。私には無縁だがラッシュ時の満員電車など正気の沙汰ではない。

東京という街は、たしかに刺激的で魅力にあふれている。ファッションにハイカルチャーにサブカルチャー、さらにはクオリティの高い多種多様な飲食店。どれを取っても東京はピカイチだ。地方から東京に移り住む人が多いのは理解できる。

しかし、この**東京一極集中状態が維持、あるいは増幅すればするほど、地方からは人がいなくなり、過疎化と経済的荒廃が進む**という事実を無視してはいけない。何より地方には地方の魅力がある。その宝をみすみす失うことは、日本の国家的損失なのである。

毎年2月、私は鳥取県にある「かに吉」で蟹のフルコースを食べる。毎回、唯一無二の極上の蟹料理を味わわせてもらえて大満足だ。地方の飲食店としては破格の金額を請求されるが、それだけの価値、いやそれ以上の価値があると思っている。

鳥取には飛行機で行くのだが、真冬の2月のこと、離着陸の前後には広大な美しい雪景色が眼下に広がる。それを眺めながら、あるとき、ふと日本という国土の特殊性について思いを馳せた。

まず言えるのは、日本は、平地が少ない狭い国でありながらも、豊富な水源のおかげで世界一清潔な民族になったこと。そして島国だからこその防疫体制で、人口密度が高くても安全な国をつくることができた。

人口密度が高いことは、日本中の土地がほぼ開拓され尽くしたことを示している。おそらく江戸時代の時点で、すでに北海道以外のほとんどの地域で未開地はほぼ消滅し、田んぼが広がっていたはずだ。

そこから強固な家族制度とコミュニティが形成された。ほぼ人力で開墾された土地の維持には、濃い人間関係による協力体制が不可欠だからだ。どのような山間部にも、それなりのサイズの集落が存在したはずだ。

しかし、戦後しばらくすると事情は一変する。経済成長が進むにつれて、農業から離れる人が増えていったのである。

それでも団塊ジュニアが生まれるくらいまでは、長男だけは地元に残ったり、都会に馴染めずUターンする人がいたりして、旧来の家族制度やコミュニティは、まだ保たれた。だが、やがて山間部から過疎化が進んでいった。

農地を維持してきた最後の世代と言える団塊世代が高齢化し、車の運転すらも難しくなると、農業を続けることができなくなった。そして今、奥地まで開拓された日本中の農地は放棄されつつある。

これは、いってしまえば当然の帰結だ。ライフラインのインフラ整備はタダではない。予算が限られているなかで、人がほとんど住んでいないような土地のインフラを維持、充実させる余裕はないのだ。もはやその財源は枯渇しつつある。

かといって、このまま地方が廃れていくのも忍びない。**手遅れにならないうちに、地方のコンパクトシティ化を促進するべき**だ。

便利で暮らしやすい、魅力的な街が地方に形成されれば、出身地に戻ってくる人や新たに移住する人も出てくるだろう。それが東京一極集中の緩和と地方経済の活性化につながることは言うまでもない。

世界随一、日本の最大の売りは「水」である

戦後、アメリカに次ぐ世界第2位の経済大国にまで上り詰めた日本だが、今では下降線を辿る一方だ。2010年あたりに中国に抜かれて第3位になり、現在はドイツに抜かれて第4位。次はインドに抜かれるという見立てもある。

そんななか、日本が本当に世界で勝負し、トップをとるには、日本人であること、そして日本に住んでいることのアドバンテージを生かして、競争が緩いところを選ぶしかない。

そのアドバンテージとは何か。私は自然環境、とくに「水」だと考えている。

「湯水の如く」という言葉があるとおり、日本は豊かな水資源に恵まれており、インフラも行き届いている。

名目GDP(為替レート:米ドル換算)の上位6ヵ国の推移

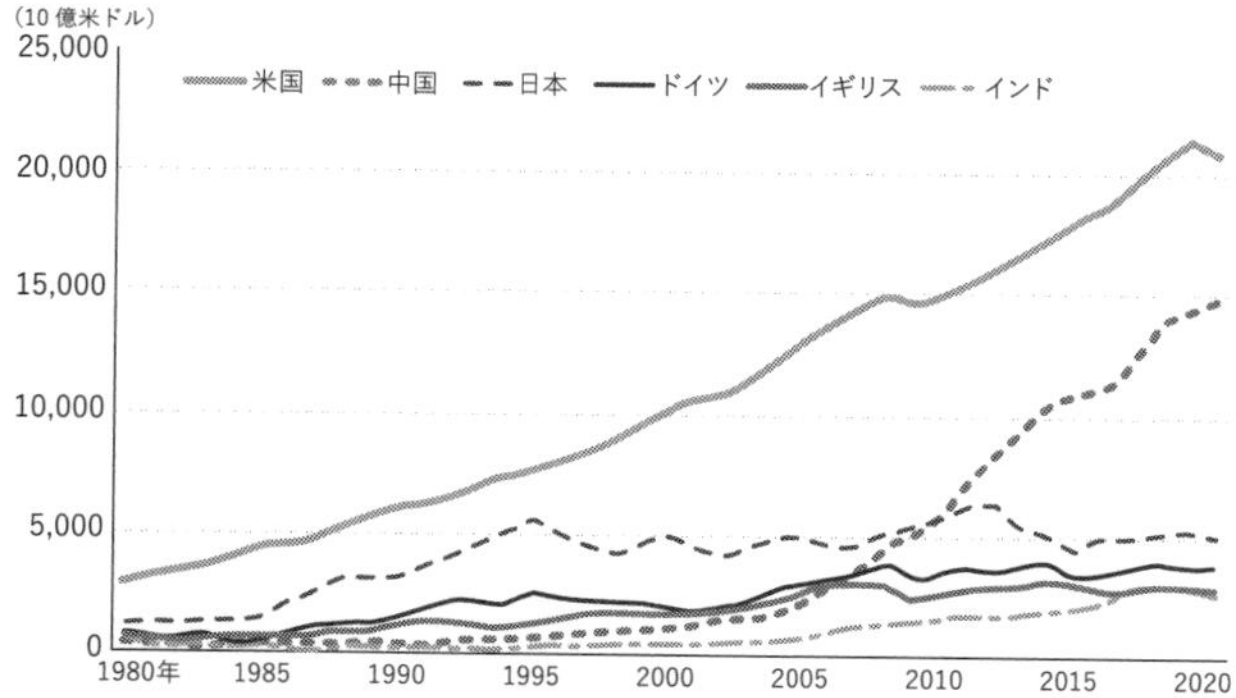

出典:IMF"World Economic Outlook Database, April 2021"より

日本で暮らしていると、蛇口をひねれば、そのまま飲めるほど清浄でおいしい水がいくらでも出てくるのは当たり前という感覚だろうが、それは世界の当たり前ではない。

中東やアフリカなどには水不足にあえいでいる国や地域がたくさんあるし、欧米では、飲料水は「ボトルに詰めて売られているもの」だ。日本の水道料金とて有料ではあるが、欧米人からすればタダ同然である。

日本は水に恵まれた世界有数の国なのだということを、日本人はもっと自覚したほうがいい。**世界で流行っていることにイチから挑戦するよりも、すでに潤沢にあるリソースを活用するビジネスを考えたほうが、よほど効**

率的に経済力を高められるというものだ。

では、「水」というリソースを活用するビジネスとして、どんなものが考えられるだろうか。

まず、インバウンド観光だろう。

私はコロナ流行期の2年間、日本全国を旅した。そこで改めて日本という国に古くからある自然の豊かさに気づかされた。

外国人観光客も、おそらく、そういう日本の一面に気づきはじめている。というのも、東京や奈良・京都など定番の観光地だけでなく、山間部にも外国人観光客が多く訪れるようになっているのだ。

のどかな農村風景に、それこそ豊かな水資源など、日本人にとっては当たり前すぎてありがたみを感じづらいものに、彼らは日本にしかない特別な魅力を感じているのだろう。

また、日本の食文化や外食産業においても「水」は欠かせない。

フルーツしかり、米しかり、日本の良質な食材は、ほぼ例外なく、豊かな水資源があってこそ生産できるものだ。

私が「WAGYUMAFIA」で使っている和牛もそうだ。牛を健やかに育て、美味い肉を得るには、水に恵まれていることが最低条件である。

つまり、**日本産の食材を対外的にアピールすることは、まわりまわって、豊かな水資源という日本ならではのアドバンテージを活用していることになる**、と言ってもいいだろう。

さらには、こんなニュースも記憶に新しい。

2021年11月、台湾の大手半導体メーカー・TSMCが熊本に生産拠点を作ることを発表した。

その理由というのが「熊本の豊かな水資源」なのだ。半導体の製造には純度の高い水が大量に必要である。台湾が歴史的な水不足にあえぐなか、TSMCは節水、水の再利用技術の向上などさまざまなことを試みてきたが、このほど新たな生産拠点を熊本に求めたわけだ。

実は「熊本の水」に目をつけたのは、TSMCが最初ではない。

2003年には、ソニーが地元農家や環境NPOなどと協力して、地下水涵養《かんよう》（地表の水を地下に浸透させ、帯水層に水が供給されるようにすること）事業を開始しているのだ。ソニーの半導体工場は、製造に必要な大量の水を確保するために、1990年代後半から地下水涵養地域に進出していた。

熊本の水インフラは、もとは江戸時代に加藤清正《かとうきよまさ》が、熊本の白川中流域に井堰《いせき》を築いて水田を整備したことに始まり、今に至っているものだという。これこそ日本の伝統的な豊かさが経済効果を生んだ例と言っていいだろう。

里山に眠るビジネスチャンス

私は、豊かな水資源を含む自然環境こそ日本の最大の売りであると信じている。実際、**日本の里山には、さまざまなビジネスチャンスが眠っている**。それを活かすことが日本改造の大きな一手となるだろう。

すでに述べてきていることだが、その筆頭として挙げたいのは観光業だ。

日本経済の状況を見ると、農業の総産出額は約9兆円（2022年）。それに対して、コロナ禍以前の2019年のインバウンドの経済波及効果は、15兆円以上だった。1日10万人近い外国人が日本に入国してきたのである。

京都の山奥にある里村・美山町《みやまちょう》は、伊丹空港から2時間以上かかる地域だが、HIU（堀江貴文イノベーション大学校）会員が作っている村「美山ヴィレッジ」がある。美山は素晴らしく景色がいいところで、京都からも近い。

HIUでは、里山ビジネスの可能性を見越して複数の「村」プロジェクトを走らせているが、この美山町を、関西における拠点としている。美山町のリノベーション中の古民家で、HIUの定例会を行ったこともある。

私が美山町に着目したのは、まさしく観光資源という宝があるからだ。酒税法の規制緩和の対象となる「どぶろく特区」に指定されており、日本酒の原料となる「山田錦」の原産地も近い。「酒米ツーリズム」でも企画すれば外国人観光客は飛びつくだろう。

また、美山町には茅葺《かやぶ》き屋根の家屋も多い。この風景もインバウンド需要を呼び込む貴重な観光資源であり、すでに多くの外国人観光客が訪れている。

美山町だけではなく、日本の里山はどこも魅力的だ。どの地域に行っても、歴史と自然があふれている。**有志の若者が移住して里山プロジェクトに加われば、そこに眠っている多くのビジネスチャンスをあっという間に具現化し、地方再生に結び付けられる**だろう。

地域の魅力をふんだんに生かした観光業の一例として、鹿児島県霧島市の妙見《みょうけん》温泉にある「忘れの里　雅叙苑」を挙げたい。

雅叙苑は、そこらを鶏が走り回る小さな集落になっている。茅葺き屋根の風情あふれる客室には、それぞれ温泉がついており、食事では、里山で採れた食材を使って囲炉裏で作られた滋味深い料理が供される。

暖炉に使う薪は、すべて山で伐採している。竹林があるからタケノコも採れるし、竹炭を作ることもできる。まさに宝の山なのである。

その雅叙苑が新たに建設したリゾート施設「天空の森」が、またすごい。東京ドーム13個分もある広大な山に、たった5棟のヴィラ（客室）を点在させて、宿泊客に大自然の絶景を楽しんでもらう趣向である。

温泉旅行といえば、熱海などにある大きな温泉ホテルに宿泊し、大浴場でひしめき合うように温泉に浸かり、夜は大広間で宴会——というのが定石だったのも今は昔である。

雅叙苑は日本の里山風景を、天空の森は日本の大自然を観光業に活用したものだが、里山と大自然なら、ほかの地域にもある。鹿児島県霧島市だけでなく、全国で雅叙苑や天空の森のようなことができるはずなのだ。

これほどの可能性を知ってしまったら、地方は過疎化の一途を辿る運命にあるなどとは、もう考えられないだろう。

豊かな自然環境が育んだ極上の食材を味わい、大自然のなかでアクティビティを楽しむ。美味い空気を胸いっぱいに吸い込み、夜は満天の星を眺めながら地元産の酒を嗜《たしな》む。これ以上の贅沢が、ほかにあるだろうか。

日本の里山には、何もない。しかし、何でもある。今、問われているのは、そこにどれだけのビジネスチャンスを見出せるか、なのだ。少なくとも私は、世界中の人々が羨むほど豊かな日本の里山を生かす活動を、これからも続けていきたい。

第 8 章

不老不死の夢が叶う未来

高齢でも「健康長寿」ならば財政を圧迫しない

「老人」「年寄り」「高齢者」の定義は、時代とともに変わってきた。

童謡「船頭さん」で〝今年六十のお爺さん〟と歌われたのは80年以上前、1941年のことだが、今の60歳は「お爺さん」なんて呼べないほど若々しい。

公的には日本の「高齢者」の定義は「65歳以上」だ。さらに細かく、「65歳以上74歳以下」は「前期高齢者」、「75歳以上」は「後期高齢者」と定められているが、この線引きも、明らかにナンセンスだと思う。

現在の65歳だって、とても「高齢者」とは言えないくらい若々しい。たとえば明石《あかし》家《や》さんまさんは、2024年現在、69歳だが、彼のことを感覚的に「高齢者」と捉えている人はいないだろう。

「芸能人は、男性でも、いろいろ手をかけているだろうから……」と思うのなら、身近な人間に目を向けてみてほしい。

平均寿命の推移

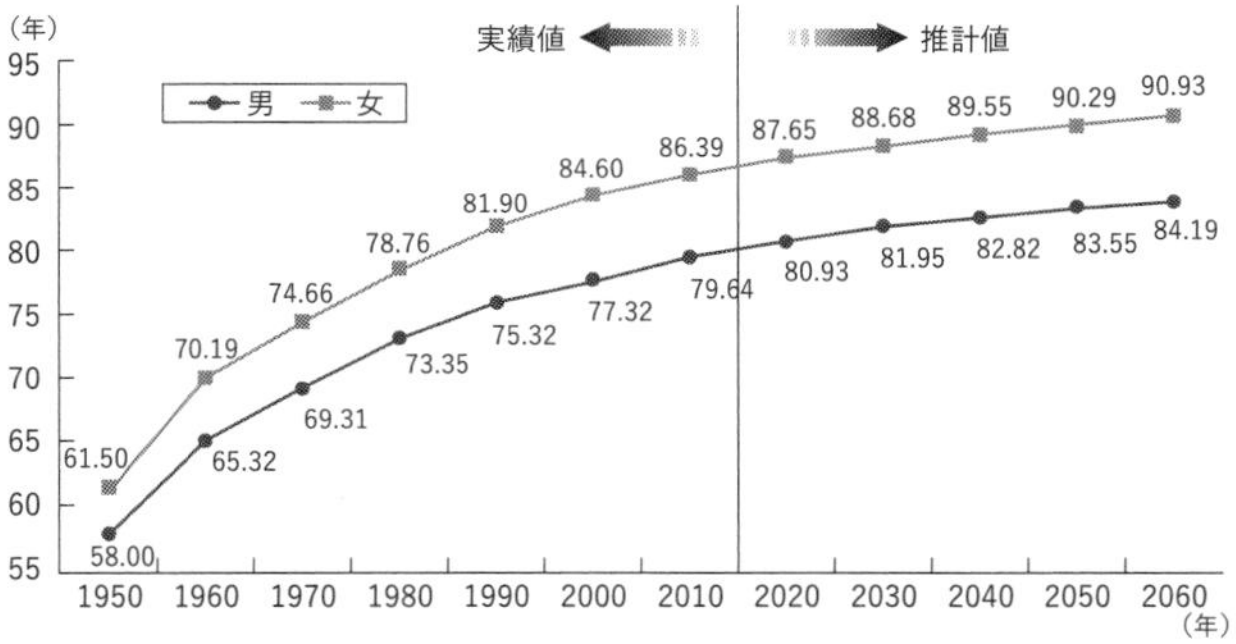

平均寿命（2010年）は男性79.64年、女性86.39年
2050年には女性の平均寿命が90年を超える見通し

出典：内閣府「平均寿命の推移」より

もし親が65歳以上になっているのなら、祖父母が65歳だったころと、両親が65歳だったころを写真などで見比べると、どうだろうか。同じくらいの年齢なのに、祖父母よりも両親のほうが格段に若く見えるはずだろう。

つまり、現代の日本人はどんどん若返っていて、今の65歳は、ひと昔まえの55歳くらいのイメージなのだ。

平均寿命を見ても、１９８０年では男性73・３５歳、女性78・７６歳だったものが、42年後の２０２２年では男性81・０５歳、女性87・０９歳と10歳近く延びている。

また、運動機能・認知機能・病気の発症率・死亡率などの変化を調べた日本老年医学会などのデータによれば、現在の75歳は、「高齢者」の定義を定めた1982年ころの65歳以上に匹敵することがわかった。

同学会などは、この「若返り現象」の理由として、国民の栄養状態の改善、公衆衛生の普及、医学の進歩などを挙げている。

ここまで「若返り」が歴然としているなら、「高齢者」の定義年齢を引き上げることも検討したほうがいいだろう。ソフトウェア、情報から人間の価値観まで、あらゆるものがアップデートを求められるなか、「高齢者」の定義がアップデートされないのはおかしい。

なぜこんなことを言っているのかというと、**「高齢者」の定義をアップデートすれば、今、日本が直面している社会問題に解決の光明が見えてくる**と考えているからである。

その最たるものが、年金問題と医療費問題だ。

日本の年金制度は、現役世代が納めた保険料を高齢者に受け渡す「賦課《ふか》方式」だ。

しかし周知のように、急速に進む少子高齢化によって、「支える側」である現役世代と「支えられる側」である高齢者の人口バランスが、あるべき姿から逆転してしまっている。

２００８年にピークを迎えた日本の人口は、２０１１年以降、減り続けてきた。人口減少とは、高齢者に対して現役世代の比率が下がることを意味している。すでに、現役世代２人で高齢者１人を支えなければならない時代が到来している。

では、「高齢者」の定義をアップデートしたら、どうなるか。

仮に「75歳以上」とした場合を考えてみよう。

内閣府の２０２３年版「高齢社会白書」によれば、65歳から74歳までの前期高齢者の数は１６８７万人で、総人口に占める割合は13・5％だった。

つまり「高齢者」の定義を「75歳以上」とするだけで、今までは現役にカウントされていなかった１６８７万人、実に総人口の１割強を占める人々が、現役に組み込まれることになるわけだ。年金問題はかなり改善されるだろう。

次に医療費問題。これも少子高齢化が進行するほどに日本の財政を圧迫し続け、つ

高齢者人口とその割合の推移

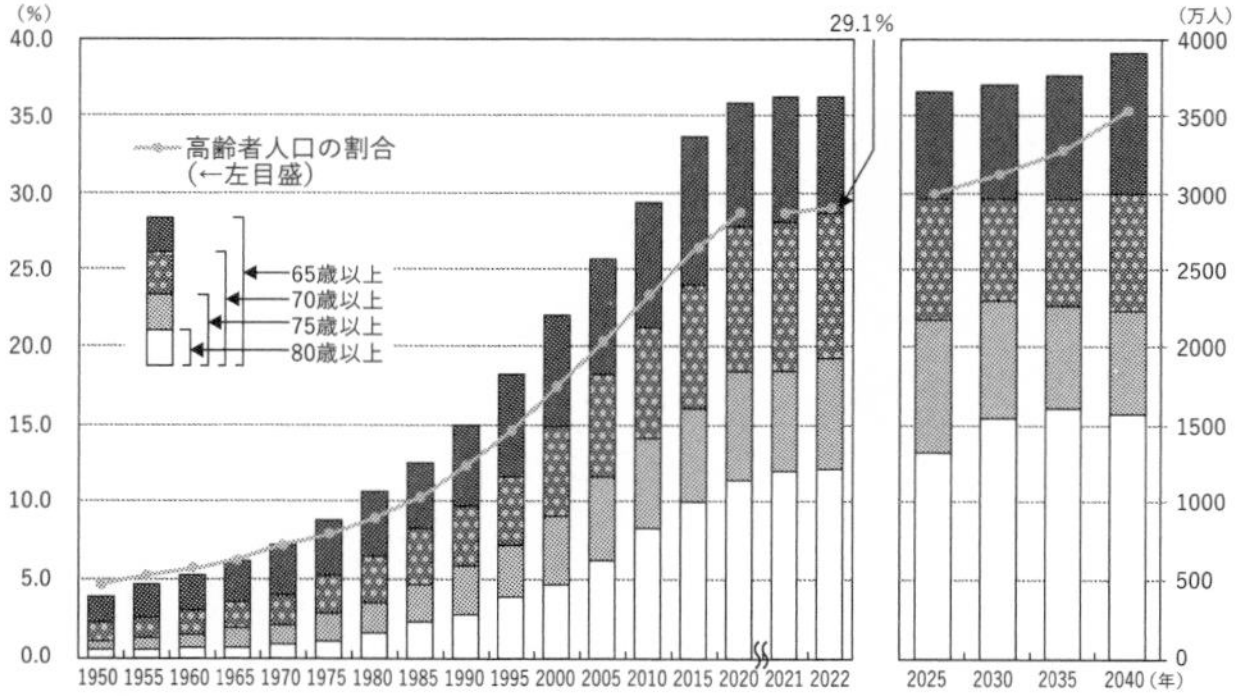

出典：総務省統計局「統計トピックス No.132統計からみた我が国の高齢者－「敬老の日」にちなんで－」(2022年9月18日掲載)より

いには破綻に追い込みかねない問題だが、やはり「高齢者」の定義をアップデートすることで、かなり改善される可能性がある。

というのも、現役として過ごす期間が長くなればなるほど、「健康寿命」が長くなると考えられるからだ。

実際、ある産業医によると、65歳以上の人の寿命は、社会的責任の有無によって7～8歳も違ってくるという。現役として何かしらの役割を担うことによる適度の忙しさ、張り合い、ストレス、責任感などが心身の活性化につながり、健康に寄与するようだ。

健康寿命とは、医療的な支援や介護を受

要介護等認定の状況

単位：千人、（　）内は%

65〜74歳		75歳以上	
要支援	要介護	要支援	要介護
241 (1.4)	517 (3.0)	1,638 (8.9)	4,293 (23.4)

出典：内閣府「令和5年版高齢社会白書」より

けずに生きられる年数を意味する。現役として生きることで元気な「65〜74歳」が増えたら、それだけ医療費の財政負担は軽減されるというわけである。

ここで介護に目を転じてみよう。「高齢社会白書」によると、65〜74歳では要支援1・4％、要介護3・0％であるのに対して、75歳以上では要支援8・9％、要介護23・4％となっている。

後期高齢者は、要支援・要介護を合わせると3割を超える数になる。しかも、いわゆる「団塊の世代」（1947〜1949年生まれ）が後期高齢者になることを考え合わせると、将来的に、国として支え切るのはとうてい難しくなってくる。

この難局を乗り切るには、後期高齢者になってからも、できるだけ要支援・要介護にならないよう、前期高齢者のうちから健康寿命を延ばしてもらうしかない。

すなわち「**65歳になったら現役引退**」**ではなく、できるだけ74歳くらいまでは現役として生きてもらうことで、その人たちが後期高齢者となったときの要支援・要介護の割合を減らしていく**ということである。

年を取ると人と会話したり外出したりする機会が少なくなる。とくに配偶者に先立たれたら一人で家に閉じこもりがちになり、急に心身が衰えて、頭もボケてくる。それを「仕方がない」と受け入れるしかない社会では、少子高齢化問題は解決しない。

何も高齢者に鞭打って働かせたいわけではない。元気な60代後半や70代前半が多いのは事実なのだから、その人たちに、年齢だけを理由に現役を退いてもらうのではなく、引き続き現役としていきいきと暮らしてもらってはどうか、という話だ。

そのための環境づくりを行政、地域、家庭ぐるみで行っていくほうが、むやみやたらと介護施設を充実させるよりも、はるかに個人の利益にも、社会の利益にも適うだろう。

人生100年時代の生き方の極意

「人生100年時代」はもう目前だ。そうなると、後期高齢者になってからも20〜30年は人生が続くことになる。

現役を退いてからの年月を、「人生の余り」という意味で「余生」と呼ぶことがある。人生100年時代が生み出す20〜30年もの余生とは、言い換えれば膨大な「暇」との闘いになるだろう。この暇を持て余して心身の活性度が下がれば、確実にボケが始まる。

ここはぜひ、**「暇を持て余す」のではなく「暇を手なずける」**ことを考えたい。

私がHIU（堀江貴文イノベーション大学校）を立ち上げたのも、80歳、90歳、そして100歳になっても現役としてお金を稼ぎ、大いに遊びたいからである。何歳まで生きるかわからないが、人生の最後の最後まで楽しみたい。暇を持て余すのだけは避けたいのだ。

ＨＩＵはオンラインサロンだから、少々体が不自由になっても参加できる。国籍を問わず、世界中の人々と交流もできる。そこでは個々のメンバーが、自由に好きなこと――本を出したり、日本酒を作ったり、イベントや合宿を計画して実行したり、といった活動をしている。

好きなことだから楽しくできる。ある程度の年齢になっているメンバーにとっては、それが、やがては心身の健康維持や認知症防止にもつながるはずだ。

最近も、こんな例があった。

若いＨＩＵの会員が、会費15万円という高額の「寿司を食べる会」に父親を連れてきたのだ。15万円をこともなげに支払えるのだから、おそらく成功者なのだろう。聞けば、埼玉県や茨城県で中古車販売会社を経営してきたとのことで、支店もたくさんあるらしい。

「もう仕事は精一杯やってきたので、そろそろ現役は退いて、若者に投資していきたいと思っている」と話すその父親に、私は即座にＨＩＵへの参加を勧めた。

このように、事業に成功してお金はあるのに、その使い道がわからないという人は多いはずだ。会社員として無事に勤め上げ、定年を迎えた人にも、おそらく同じことが言えるケースは少なくないだろう。

仕事から引退したとたん、孤立し、居場所を失えば、それだけ老いも早くなる。仕事一筋に邁進《まいしん》してきた人ほど、現役引退後の活動範囲は驚くほど狭い。

心身の老化スピードを抑え、健康寿命を延ばすには、家庭と職場以外に、趣味やボランティア活動などの居場所を確保することが重要だ。

HIUのような活動場所は、そういう意味でも、公益性が高いと思う。世代を超越したコミュニティで若い人との付き合いが増えれば、自然と若返るだろう。若者に投資するという生きがいを見出すことで、人生に張りを感じることもできるだろう。

こんなふうに暇を持て余さず、手なずける高齢者が増えれば増えるほど、日本人の健康寿命は延びる。結果的に、医療費の国庫負担を大幅に抑え、赤字に苦しむ健康保険組合を助けることにもなるはずだ。

命短し、恋せよジジババ

人生100年時代が到来するなら、なおのこと、要支援・要介護となる高齢者の増加はなるべく抑えたい。何より元気に暮らせたほうが、自由度が高く幸せなのだから、高齢者の健康寿命を延ばすに越したことはない。

とりわけ、夫や妻に先立たれて一人になったり、足腰が衰えて家から出歩くのが億劫になったりすると、認知症へまっしぐらである。心、体、そして頭の健康を保つには、外界からの刺激が必要不可欠だ。

とにかく自分の世界を狭めないよう、家から出て体を動かすこと、身の回りのさまざまなことを五感すべてで感じること、頭を働かせること、胸躍る体験をすることなどが必要だが、自分をそのように動かすとっておきの方法がある。

それは、**80歳になろうと90歳になろうと、心、体、頭を自ら働かせたくなる相手と出会うこと、すなわち「恋」をする**ことだ。

新たな恋の相手との出会いは、まるで自分を取り囲む世界に差し色が入ったかのように、胸がときめき、自分という存在が丸ごとイキイキと動きだすものだ。そんな恋のパワーは、何歳になっても変わらない。

老いらくの何とやらと冷やかされるかもしれないが、意外に世の中には、それを描いた素敵なロマンスストーリーがある。

たとえば、蜷川実花《にながわみか》監督によるNetflixドラマ『FOLLOWERS』では、70歳近い夏木《なつき》マリさん演じる女性が20代の青年と恋に落ち、溌溂《はつらつ》と魅力を増してセックスまで楽しむ関係になる。

お互いに恋愛感情を持てるなら、年齢差は問題ない。２０１１年当時、68歳だった加藤茶《かとうちゃ》さんが45歳も年下の女性と結婚して幸せな夫婦になっているのが、いい見本である。

人生１００年とはいえ、若い人よりは残されている年数が限られているから、その愛を大切にしたいと思うだろう。すると愛おしさもいや増しになり、その刺激によって心も体も頭もぐんと若返るはずだ。「命短し、恋せよジジババ」である。

そう考えてみると、健康寿命の延長に寄与する高齢者の恋愛は、日本再生の一端を担うものであるとも言える。

ならば、**高齢者向けのマッチングアプリがあってもいい**だろう。

相性のいい相手との出会いをサポートするマッチングアプリは若者の専有物ではない。ここは自治体が率先して「パパ活」ならぬ「ジジ活」「ババ活」を推進し、高齢者に向けてマッチングアプリを開発してはどうか。

「暇」を手なずけ、さまざまな社会活動に、恋愛にと忙しくなるほどに高齢者の心、体、頭は活性化される。介護なんてものが、ほとんど必要なくなる世界も夢ではない。

要支援・要介護の高齢者を増やさないためには、なるべく多くの高齢者に生涯現役でいてもらうのが一番だ。そのうえで、運悪く要支援・要介護になってしまった人のことは、手厚く面倒を見る。それこそ本当の意味での優しい社会ではないだろうか。

「お話しAI」「AI孫」で認知症予防

第4章で「ＡＩを活用した子どもの育て方」を提案したが、まったく同じ考え方が高齢者にも当てはまる。特に介護の現場で、ＡＩは存分に役立つはずだ。介護ロボットが、介護士や家族の負担軽減につながるというのは、よく言われることだ。

さらに発想を進めて、トランザクションが可能なＡＩが搭載されていれば、高齢者の話し相手をしてもらうこともできる。そんな「お話しＡＩ」があったら、高性能な補聴器を買うようなノリで、高齢者の間で大ヒットするのではないか。

反面、ＡＩにはリスクもある。特に電話口だとＡＩと人間の声を判別するのは難しいため、ＡＩを使った振り込め詐欺などで高齢者を騙すのは簡単だ。このようにＡＩテクノロジーを悪用することを、すでに考えている特殊詐欺グループもあるかもしれない。

先手を打つことは可能だ。先に挙げた「お話しＡＩ」に、そうした特殊詐欺の特徴や対処法を学習させておけば、いざ怪しい電話があったときに持ち主を守ってくれるだろう。要は「防犯機能付き・お話しＡＩ」だ。

このように、いつでも、いくらでも話し相手になってくれるＡＩがいてくれたら、高齢者の頭脳はいつも新鮮な刺激に恵まれ、認知症になっている暇はなくなるだろう。第１章で、ソニーの空間再現ディスプレイについて触れたことは覚えているだろうか。高精度の３ＤＣＧ映像を裸眼で見ることができるツールだ。

人間の全身を投影できるサイズのディスプレイに生成ＡＩを実装すれば、「ＡＩ○○」ができる。この要領で「ＡＩ孫」を作ってしまえば、なお話し相手に困らない。いつでも、いくらでもバーチャルな孫との会話を楽しむことで、いっそう認知症とは無縁となれるだろう。

このように、**アイデア次第で、ＡＩテクノロジーを高齢者の健康寿命の進展に役立てることもできる**のだ。

健康寿命を延ばす新技術「ｍＲＮＡ」

ご存じのように、２０２０年から3年ほど、新型コロナウイルスが世界中にまん延した。多くの犠牲者を出し、出入国禁止などにより世界の経済も停滞した。飲食店やホテルなど、倒産した企業も続出した。

そのなかで唯一、人類にとって朗報となったのはｍＲＮＡワクチンの実用化だ。パンデミックが起こってよかったとは言えないが、パンデミックをきっかけに、この最新バイオテクノロジーが世界的に実装されたことは事実だ。新しいウイルスから人類を救うために、反ワクチン派のカルト的な攻撃などの雑音を見事にはねのけたのだ。

では、既存のワクチンとｍＲＮＡを使ったワクチンの違いは何か。

既存のワクチンは、弱毒化したウイルス、もしくはウイルスを構成する蛋白質《たんぱくしつ》の一部を人体に投与することで、抗体を作り出すワクチンだ。

一方、ｍＲＮＡワクチンは、ウイルスを構成する蛋白質の設計図を投与し、人体内でその蛋白質を生成させることで抗体を作り出すワクチンだ。この設計図のことを、「ｍＲＮＡ」と言うのである。

ｍＲＮＡワクチンの利点は、このワクチンによって生成される蛋白質が無害であること、しかも、抗体ができたら酵素によって分解されてしまうことだ。遺伝子情報が

mRNAワクチンと既存ワクチンの違い（新型コロナワクチンの事例）

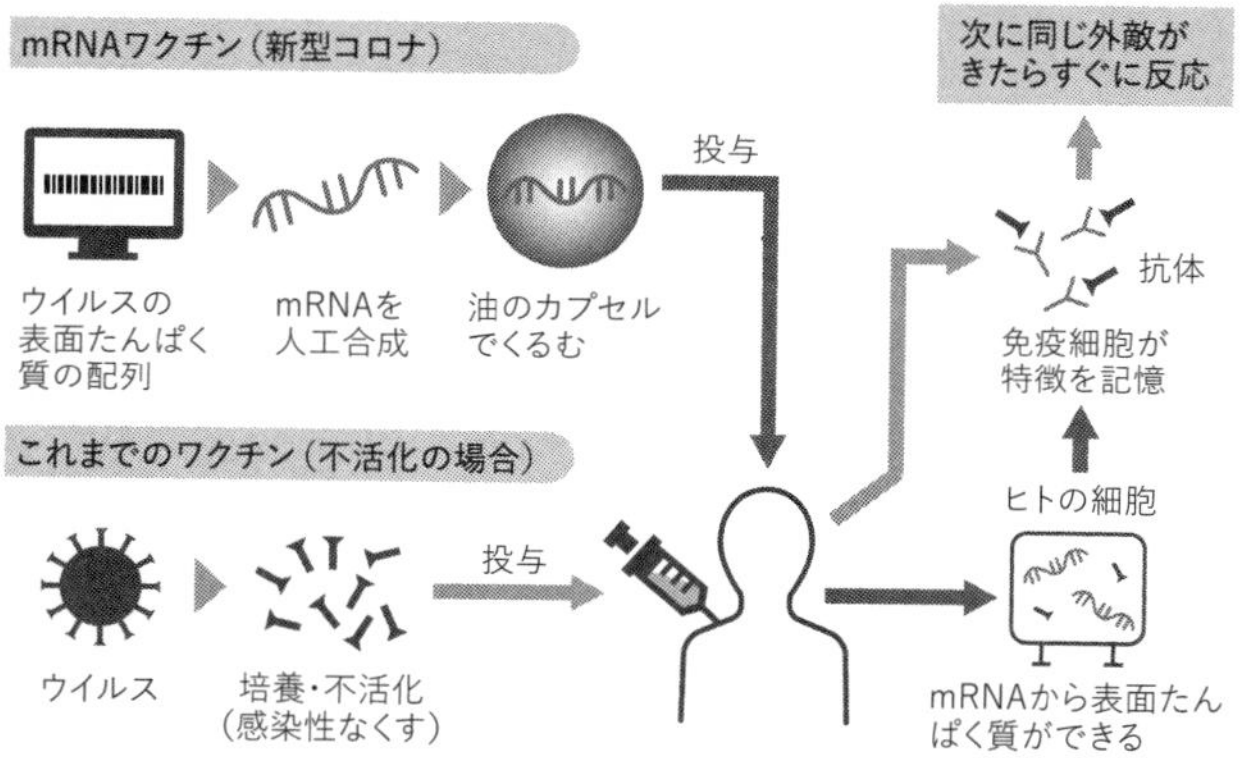

	mRNAワクチン	これまでのワクチン（不活化ワクチン）
仕組み	ウイルスのmRNAを体内に投与。ウイルスのたんぱく質を作らせる	感染性をなくしたウイルスを投与する
強み	開発スピードが速い。ウイルスを使わないので生産速度も速い	投与実績があるので安全性が確立している
弱み	投与実績がなく、安全性は未知数。低温での輸送、保管設備が必要	ウイルス培養では、厳重な設備が必要。量産に時間がかかる

出典：日本経済新聞「mRNAワクチン、遺伝情報巧みに使う　開発素早く」(2020年11月26日公開)より

収納されている細胞核に入り込む心配もない。

本来、mRNAワクチンの研究目的は、がん治療にあった。がんは、異常細胞が無限に増殖し、人体を蝕《むしば》む厄介な病だ。本来、異常細胞は免疫作用が働いて排除されるはずなのだが、その免疫作用が働いてくれないのである。

そこで考えられたのが、免疫作用を上げるために、患者の血液から、そのがん細胞特有の蛋白質を特定し、その蛋白質のmRNAを患者に投与することだった。

mRNAが蛋白質を生成してくれれば、免疫作用が働くようになり、がん細胞を破壊してくれる。このような治療方法を「テーラーメイドがん治療」という。すなわち、個々の患者に合わせた治療方法ということだ。

現在、がんは日本人の死因の第1位であり、日本人の実に2人に1人ががんになるといわれている。**mRNAを用いた治療方法が確立すれば、その第1位の死因を撲滅できるかもしれない**のだ。

また、mRNAを用いる治療法は、ウイルス性肝炎、エイズ、アルツハイマーといった難病にも適用される可能性が高い。

エイズの場合、HIV（ヒト免疫不全ウイルス）の増殖を抑える薬の実用化までは治療法が進歩している。だが、いまだに完治できるようにはなっていない。HIVのmRNAを投与することで体内にHIV抗体が作られたら、エイズ撲滅の光が見えてくる。

ウイルス性肝炎もアルツハイマーも同様だ。病を引き起こしているウイルス、あるいは原因物質のmRNAを投与し、それらの抗体が体内に作られるようにすることで、治癒へとつなげる。mRNAワクチンは、まさしく患者の希望の星、人類の叡智が生んだ宝なのだ。

「人工冬眠」「機械脳」で不老不死が叶う

「不老不死」は人類の永遠の夢だ。

小説や映画、漫画などで繰り返し「永遠の命」が描かれてきたのも、人類が絶えず不老長寿を夢見てきた証左《しょうさ》だろう。しかし今や、それは「夢」とは言い切れない。不老長寿につながる技術の研究が、このところ成果を挙げているのだ。

その筆頭が、人工冬眠である。それこそSF映画にたびたび登場する技術だが、現実に可能になるかもしれない。なぜこれが不老不死につながるかというと、冬眠中は体の代謝が低下するからだ。代謝が下がるということは、老化しないということなのである。

2020年、筑波大学の櫻井《さくらい》武《たけし》教授らの研究グループは、マウスの脳の視床下部にある神経細胞群を刺激するという実験を行った。すると、そのマウスの体内すべての活動が停止し、冬眠状態になったというのだ。

このとき刺激された神経細胞群は、「Q神経（休眠誘導神経）」と名付けられた。

さらに櫻井教授らは、こんな実験も行った。遺伝子操作で、特定の物質を与えられるとQ神経が興奮するマウスを作り、実際に、その特定の物質を与えたのだ。すると、やはり冬眠状態になったという。

もちろん、これと同様の実験を人体で行うことはできない。そこで櫻井教授らは、人間のQ神経を刺激する神経ペプチドを探した。ここでは専門的な説明は避けるが、いってみればQ神経という「鍵穴」にぴったりはまる「鍵」を探したのだ。

Q神経のしくみと応用可能な分野

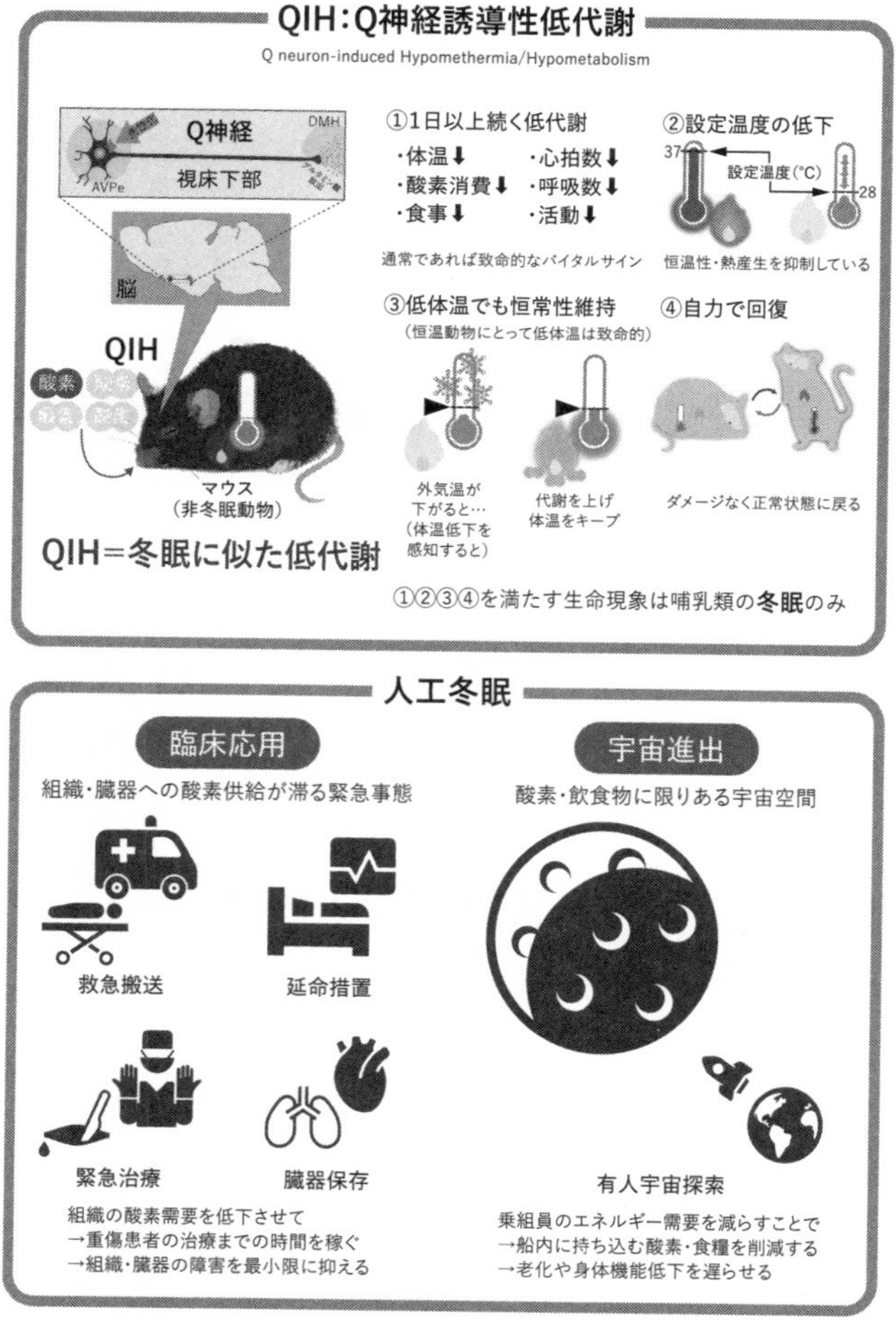

QIH:Q神経誘導性低代謝
Q neuron-induced Hypomethermia/Hypometabolism
Q神経
DMH
視床下部
AVPe
脳
QIH
酸素
マウス
(非冬眠動物)
QIH=冬眠に似た低代謝
①1日以上続く低代謝
・体温⬇
・心拍数⬇
・酸素消費⬇
・呼吸数⬇
・食事⬇
・活動⬇
通常であれば致命的なバイタルサイン
②設定温度の低下
37
設定温度(°C)
28
恒温性・熱産生を抑制している
③低体温でも恒常性維持
(恒温動物にとって低体温は致命的)
外気温が下がると…(体温低下を感知すると)
代謝を上げ体温をキープ
④自力で回復
ダメージなく正常状態に戻る
①②③④を満たす生命現象は哺乳類の冬眠のみ
人工冬眠
臨床応用
組織・臓器への酸素供給が滞る緊急事態
救急搬送
延命措置
緊急治療
臓器保存
組織の酸素需要を低下させて
→重傷患者の治療までの時間を稼ぐ
→組織・臓器の障害を最小限に抑える
宇宙進出
酸素・飲食物に限りある宇宙空間
有人宇宙探索
乗組員のエネルギー需要を減らすことで
→船内に持ち込む酸素・食糧を削減する
→老化や身体機能低下を遅らせる

出典:BUSINESS INSIDER「「冬眠に似た状態を再現」する“Q神経“の衝撃…「人工冬眠」研究に大きな一歩」(2020年1月22日公開)をもとにSBクリエイティブ株式会社が作成

すでに鍵は見つかった。しかし外部から投与したときに、血液脳関門（脳の関所のようなもの）を通り抜けられなかった。現在は、その関門をクリアできるよう、鍵を調整しているところだという。

人工冬眠を人体で試すには、まだ数々の課題をクリアする必要がある。当然ながら倫理上の問題もある。しかし、少なくとも櫻井教授らの実験は、理論上だけでなく技術的に、動物の体を冬眠状態にすることが可能であると示したのだ。

宇宙船に搭載した人工冬眠カプセルに入って、眠っている間に、はるかに遠くの惑星まで到達する。いつか、そんなSFの中でしかありえなかったことが実現するかもしれない。考えただけでワクワクする。

言っておくが、人工冬眠が役立つ可能性があるのは、ワクワクする宇宙旅行だけではない。

たとえば脳梗塞を起こすと、脳の血流が滞り、脳細胞が酸欠状態になる。命が助かっても、半身不随や言語障害といった後遺症に悩まされることが多いのは、そのためだ。脳が酸欠に陥っている間に、一部の脳機能が失われてしまうのである。

そのとき早急に人工冬眠の処置を施し、患者の体の全活動を低下させれば、代謝が下がり、脳が必要とする酸素量も格段に減る。結果的に、脳血管が詰まった状態でも脳は酸欠にならず、命を救うのはもちろん、後遺症も防げるはずだ。

また、**現代の医療では治療できない病にかかったときにも、人工冬眠が1つの選択肢となる**だろう。あと少し待てば治療法が見つかるかもしれない。ならば治療法が見つかるまで人工冬眠しようというチョイスだ。

さらに私の夢想は広がる。人工冬眠を金融取引に活用するのも手かもしれない。長期的に徐々に値上がりするインデックスファンドのような商品を買った場合、長く寝かせておくことが肝要だ。冬眠してしまえば、誘惑に駆られて売りに走らずに済む。もしかしたら、証券会社が金融商品に「人工冬眠」をつけて販売する日も来るかもしれない。

その他、ひどい花粉症だから花粉が飛散する時期だけ冬眠しよう、しばらく予定がないから冬眠しておこうという具合に、人工冬眠は、各自が必要に応じて気軽に取り入れるライフスタイルの1つになる可能性もある。実用化されたら、真っ先に試したいと思う。

最後にもう１つ、不老不死のアイデアを現実のものとできそうな技術を紹介しておこう。

それは「機械脳」とも呼べるような技術だ。東京大学大学院工学系研究科の渡邉《わたなべ》正《まさ》峰《たか》准教授は、「意識を機械に移植する技術」を研究しているのだ。

右脳と左脳をいったん分け、改めて左右の脳をつなぐ脳梁にＢＭＩ（ブレイン・マシン・インターフェース）という装置を入れる。すると左右の脳が独立した意識を持つ。そのうえで、片方の脳を機械に変え、もう片方の脳とＢＭＩでつなぐ。

右脳を機械に変えたら、その機械と左脳をつなぐわけだ。このように本物の脳と機械脳を連結した状態で、少しずつ意識を一体化させていくと、本物の脳から機械脳へと、意識も記憶も移動すると考えられるというのである。

なんだかものすごい話である。しかし、これが実現すれば、**脳が死んだ後も、意識は機械に移植された状態で生き続ける可能性がある。**私の肉体は朽ちても、私の意識は永遠に生き続ける。これもまた、不老不死の１つの実現モデルといっていいだろう。

おわりに――日本のポテンシャルを活かすために

今の日本では、なかなか世界をあっと驚かせるようなイノベーションが起こらない。「右向け右！」の教育によって早くから個性を削られ、ひたすら暗記と「正解のある問題」を反復するだけの受験勉強で想像力や思考力を失う。長じてからは年長者や権力に忖度し、「出る杭になって打たれてはたまらない」とばかりに同調圧力に屈する。

こんな窮屈で陰湿な環境下、イノベーションなど起こるわけがない。

かつて、この国はもっとイノベーティブだった。「メイド・イン・ジャパン」を革新と高品質の代名詞としたソニーやホンダの例は改めて挙げるまでもないだろう。

また、最先端を行く鋭さは、サブカルチャーの領域ではまだ健在である。日本には元来、イノベーティブマインドが流れており、新しいものとの相性はいいのだ。その性質が、今は不当にも日陰に隠れてしまっている。

そろそろ、現代日本の通弊《つうへい》に我慢ならない人も多くなっているはずだ。画一教育、忖度、同調圧力をぶっ飛ばして、個々人が自由にのびのびと生きている、そんな社会にしていけないものだろうか、と。

私も同感である。

本書では8つのジャンルを通して日本の復興戦略を論じてきた。まだ他にも、日本にはさまざまなポテンシャルが眠っているはずだ。と同時に、世界と戦っていくために、1日でも早く解決しなくてはいけない課題も山積している。

日本再興のためには、可能性と課題の両方に目を向ける必要がある。

日本には何ができるのか、何を解決すべきかを考えつつ、「日本と世界のよりよい姿」と「個人レベルの幸福」を両輪で実現していこうとする個々人の力が合わさったとき、日本は、ふたたび活力あふれるイノベーティブな国として歩みだすだろう。社会は個人の集合体だ。その再興の原動力となるのは、あなたや私、個々人の思考と行動なのである。

堀江貴文

著者略歴

堀江貴文（ほりえ・たかふみ）

1972年、福岡県生まれ。実業家。SNSmedia&consulting株式会社ファウンダー。現在は、ロケットエンジン開発を中心にスマホアプリ「TERIYAKI」「755」のプロデュースを手掛けるなどさまざまなジャンルで活躍。会員制コミュニケーションサロン「堀江貴文イノベーション大学校（HIU）」のメンバーは2千人を超える。おもな著書に『ゼロ』（ダイヤモンド社）、『本音で生きる』（SB新書）、『多動力』（幻冬舎）、『むだ死にしない技術』（マガジンハウス）ほか多数。

SB新書　659

ホリエモンのニッポン改造論《かいぞうろん》

この国《くに》を立《た》て直《なお》すための８つのヒント

2024年7月15日　初版第1刷発行

著　　者　堀江貴文《ほりえたかふみ》
発 行 者　出井貴完
発 行 所　SBクリエイティブ株式会社
〒105-0001　東京都港区虎ノ門2-2-1
装　　丁
本文デザイン　杉山健太郎
D T P
目次・章扉　株式会社キャップス
校　　正　株式会社鷗来堂
編集協力　福島結実子（アイ・ティ・コム）
編　　集　大澤桃乃（SBクリエイティブ）
印刷・製本　中央精版印刷株式会社

本書をお読みになったご意見・ご感想を下記URL、
または左記QRコードよりお寄せください。
https://isbn2.sbcr.jp/25405/

落丁本、乱丁本は小社営業部にてお取り替えいたします。定価はカバーに記載されております。
本書の内容に関するご質問等は、小社学芸書籍編集部まで必ず書面にて
ご連絡いただきますようお願いいたします。

ISBN　978-4-8156-2540-5